Y0-AGU-295

Flandre noire

Dans la collection
polars en nord

1. *Le vagabond de la baie de Somme*, de Léo Lapointe
2. *L'anneau de la Myère*, de Jean-Christophe Macquet
3. *Gérard de Waben*, de Jean-Christophe Macquet
4. *La morte du canal*, d'Emmanuel Sys
5. *Mort à Dunkerque*, de Christophe Lecoules
6. *La foire aux manèges*, de René Cyr
7. *L'affaire du boucher du Vieux-Lille*, de Christophe Debien
8. *Drame au cap Gris-Nez*, de Christine Desrousseaux
9. *Les Peupliers noirs*, de Lucienne Cluytens
10. *Les jurés de Saint-Omer*, de Jean-Pierre Fauchoix
11. *La Tour de Lille*, de Léo Lapointe
12. *Vacances picardes*, de Philippe Sturbelle
13. *Chiens d'Arras*, de J. Wouters
14. *Bienvenue à Dunkerque*, de Maxime Gillio
15. *Épluchures à la lilloise*, de Sandrine Rousseau
16. *Nord western*, de Gwen Orval
17. *Une nuit de carnaval*, de Christophe Lecoules
18. *Braquage à Fives*, de Pierre Willi
19. *Les crimes de Rue*, de Pierre Saha
20. *Chaud beffroi*, d'Emmanuel Sys
21. *Flandre noire*, de Gilles Warembourg
22. *Le vampire du stade Bollaert*, de Jean-Christophe Macquet

Gilles Warembourg

Flandre noire

Collection polars en nord
dirigée par Gilles Guillon

Du même auteur

Les Escamoteurs, *Trompe-l'œil à Manhattan*
(Le Riffle, 2007) Prix de la Renaissance française 2007

Chroniques posthumes (Le Riffle, 2008)

L'œil du Calamar (2008)

Titre original : Chiens méchants

5, rue de Fives, BP 90019, 59651 Villeneuve-d'Ascq cedex.
ISBN : 978-2-914657-46-4
EAN : 9782914657464
ISSN : 1951-5782

À Claire

Remerciements à
Kandy pour ses corrections appliquées,
Kim pour ses suggestions scénaristiques,
Flore pour ses relectures au laser.

(Extrait du Larousse 1945)

***Mal** n. m. : **1.** Ce qui est contraire au bien, à la vertu ; ce qui est condamné par la morale. Discerner le bien du mal. **2.** Ce qui est susceptible de nuire, de faire souffrir. **3.** Souffrance physique. Mal de tête. **4.** Souffrance morale. Mal du siècle. **5.** Effort, peine. Se donner du mal.*

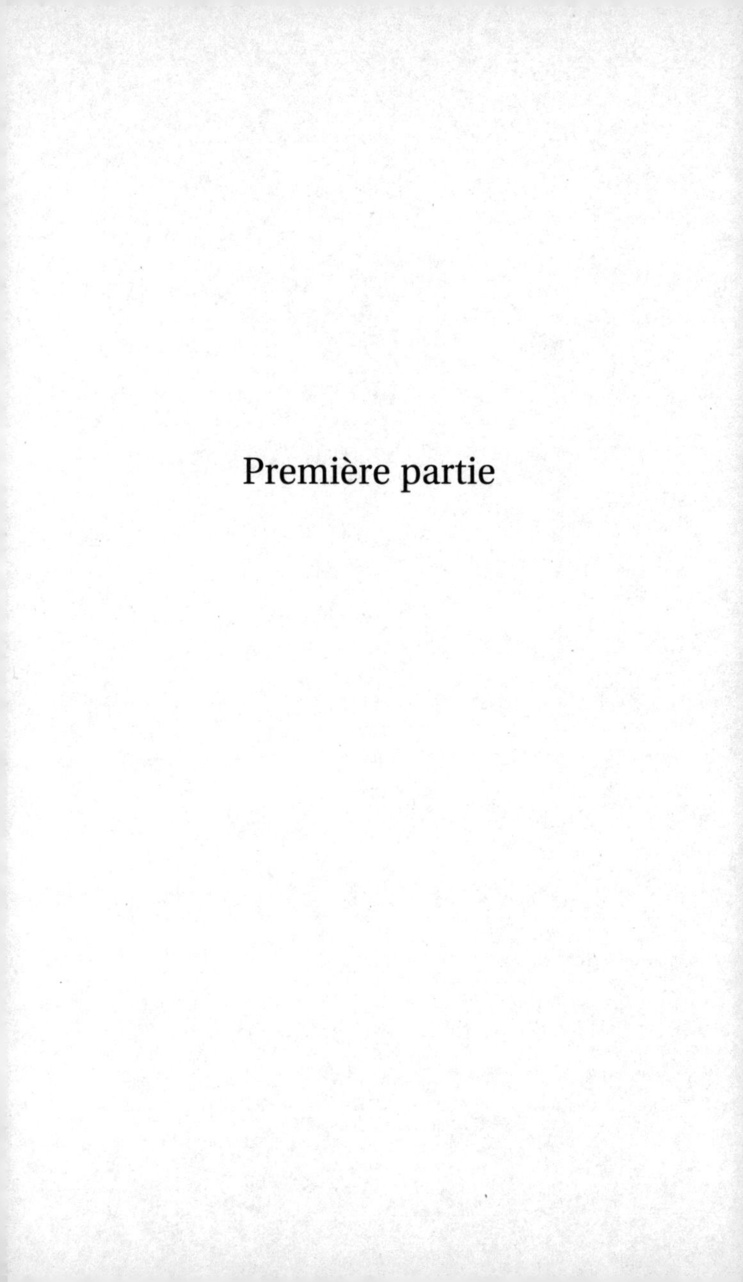

Première partie

Pourquoi vous ? Vous étiez des centaines de cobayes dans cette antichambre de l'enfer, cadavres en devenir de la démence nazie : les yeux tournés vers le mur pour cacher un désespoir incommensurable, le corps fœtal agité des premiers soubresauts du trépas. Pourquoi vous ? Tête baissée, paupières fermées et ventre serré, je ne pouvais rien d'autre qu'essuyer votre morve, éponger votre urine, racler votre vomissure… nettoyer vos taches de sang. Alors, pourquoi vous au milieu de ce rassemblement hagard des Kaninchen[1] *du docteur Clauberg ? Pourquoi ? Parce que votre regard pur, encore enfantin, puisait dans l'incompréhension devant l'innommable la force d'implorer mon aide. Là où les autres renonçaient à une existence sans autre horizon que la souffrance écarlate, vous, les enfants, gardiez encore les yeux pleins de jeux révolus et de cette lumière magique où se tapissent les anges gardiens…*

Oh, vos regards sans larmes ! Vos prunelles dilatées m'apostrophaient sous leurs paupières maquillées d'ombres

1. *Kaninchen* : lapins, surnom donné à leurs cobayes par le docteur Mengele et son équipe. On a estimé leur nombre à 400 au block 10 d'Auschwitz 1 dirigé par le docteur SS Clauberg.

toxiques ; elles lisaient dans les miennes que je n'appartenais pas à ces tortionnaires hautains, blouse blanche et lèvres pincées, qui vous piquaient, vous ponctionnaient, vous piquaient encore, vous saignaient, vous couvraient de cataplasmes pestilentiels, vous piquaient toujours comme des petits lapins de laboratoire sans importance qui ne peuvent ni mot ni douleur dans leur cage de l'ultime malheur... Oh ! vos yeux ! Vos yeux immenses récusaient encore, éclairés de cette épouvantable crédulité enfantine aux contes, que vous, Nadia et Sofia, sœurs jumelles de Hongrie, n'étiez que des objets sémites parmi cette multitude aux mains de ces expérimentateurs abjects. Et moi, j'étais leur valet impuissant, à peine plus vivant que vous, à peine moins torturé que vous, à peine moins monstrueux qu'eux, essayant de résister encore un peu en nettoyant les indices des crimes de ces médecins maudits...

Nadia et Sofia... reflets l'une de l'autre, jumelles parfaites jusqu'au fin fond de votre destin. Je ne connais de vous que vos prénoms, les triangles jaunes qui vous proscrivaient, votre question muette et ma promesse impossible faite à votre dernier matin : comprendre l'inconcevable, expliquer l'inexcusable, affronter le problème du mal à travers son scandale le plus aigu, éclaboussant de ses excréments obscènes ceux qui oseraient le nier : au-delà des larmes taries, l'ultime souffrance de deux enfants...

Chapitre 1

Juin 1945, quelques semaines après la capitulation du Troisième Reich.

Revenant de trois ans de tourisme en enfer, j'avais vécu un interminable périple à travers l'Europe – camion, avion sanitaire, train –, et parcouru la Pologne, l'Allemagne, puis la Belgique. Le cœur rempli d'émotions contradictoires, j'avais retrouvé l'horizon bosselé des mamelons lointains ébauchés par les monts de Flandre. Devant la gare d'Hazebrouck, une ambulance attendait pour me ramener à Neu-Cappel.

Le véhicule contourna l'église Saint-Éloi, dépassa la place du village et s'arrêta devant ma maison de briques.

Lunettes noires et cannes de fortune, je m'extrayais avec peine pour m'engouffrer chez moi, afin d'esquiver le rassemblement des villageois et leurs visages à l'affût.

Rien n'avait changé dans ma modeste demeure de célibataire. L'imposante cuisinière claquait de chaleur sur le carrelage encore humide de détergent. Les livres s'alignaient dans la bibliothèque époussetée. Une bonne âme y avait même ajouté quelques rayonnages. Et une centaine de volumes... Un carton griffonné d'une écriture familière était placé en évidence : *« Ils sont à vous. Je les ai tous lus, vous avez du retard, Jean. »* Bouleversé, je passai la main sur les dos, ânonnant les noms classés par ordre alphabétique : Aristote, Kant, Rousseau, Schopenhauer... J'aurais aimé rester là, à ne rien faire, juste à caresser les couvertures consolatrices en écoutant s'égrainer les gongs de la grosse horloge que je ne pensais plus réentendre.

Mais mes compatriotes m'attendaient...

Ils s'étaient imaginés me voir heureux de ce retour. Ils étaient tous venus, avec leur sourire de circonstance, affectant leur illusion d'un ordre retrouvé : le temps cautériserait les plaies les plus profondes et les relents fétides du block 10 d'Auschwitz-Birkenau s'estomperaient dans ma mémoire comme un cauchemar dissipé par le petit matin. Erreur commune ! Les années ne consolent pas, elles dessèchent : les rides, les commissures amères, nous font ressembler à ces vieux meubles soi-disant embellis par le temps, quand ce dernier abîme et détruit.

Immobile, je leur ai fait face dans le silence de ces retrouvailles compassées.

Oui, j'étais détruit, endeuillé de ces valeurs auxquelles j'avais consacré ma vie. Pilonnées dans l'enfer du camp, elles m'apparaissaient aussi incongrues qu'un bouquet de gaillardes fleurissant sur une décharge. L'été radieux de Flandre n'éclairait plus que l'impudence des visages et le néant de mes certitudes... jusqu'à vider de leur contenu les centaines de traités tapissant mes murs. Jadis, je veillais sur eux avec cette jalousie propre aux vieux enseignants ; désormais, la suie dispersée par la guerre les recouvrait.

Valeurs des tortionnaires poussées à leur paroxysme, l'éducation, la solidarité, le travail me paraissaient autant d'impostures. Ma vieille passion d'hier pour la chirurgie avait été anéantie par l'excessif, l'indicible et l'insupportable. Le scandale du mal, je l'avais pétri à la réalité objective de ces dernières années : celle d'un puits sans fond exhalant les relents sombres de la folie humaine... Je revenais d'un lieu où il n'y avait pas de pourquoi... Le mal, question sans réponse : le vent glacial gémissant sur la plaine d'Auschwitz avait balayé les feuilles mortes de la pensée humaine.

Oui, la place peuplée d'inconnus silencieux représentait un tableau dont je ne pouvais ni rire ni pleurer.

Pour célébrer mon retour dans la tiédeur de ce premier été de paix, les villageois s'étaient alignés sur l'esplanade, à l'ombre de ses platanes, sous la flèche octogonale de l'église Saint-Éloi.

Neu-Cappel était au complet, sous la présidence du maire René Quaeghebeur, le ventre majestueux et le visage rubicond de couperose fleurissante, flanqué de sa femme, portant culotte du couple et donc écharpe du village... Première magistrate autoproclamée, je retrouvais Yvonne coiffée d'accroche-cœurs, boudinée dans son amabilité construite, comme dans sa toilette à fleurs déformée par ses mamelles flottant sur sa bouée de graisse, les yeux perforateurs rivés sur son mari, objet de haute surveillance.

En bonne place se tenaient les Richart : Marcelle, dite *la Richarde,* coupe courte et grisonnante, sèche jusque dans sa prunelle délavée d'affairiste rurale. Son mari Albert, petit homme frêle à la calvitie triomphante, l'escortait. Souffre-douleur consentant et comptable comblé par le chiffre d'affaires familial, il flottait dans son nouveau costume du dimanche, le menton fuyant et la mine misérable.

Vanité centrale de ce tableau estival et champêtre, le vieux curé faisait tache noire au milieu des autres. Son dos voûté, sa soutane austère tombant sans faux plis, complétaient son expression chagrine face aux chimères de ce bas monde…

Une banderole souhaitait la BIENVENUE À GEORGES, NOTRE INSTITUTEUR, en lettres multicolores aussi pimpantes que si je rentrais d'un aimable camp de vacances.

Au premier rang des paroissiens, une avant-garde roulante d'invalides de guerre me faisait face : Noël, le vieil empailleur, les pieds gangrenés oubliés dans une tranchée de Vimy, affichant une grimace amère et définitive. À côté de lui, tribut de la jeune génération à la patrie vorace, Jean, constellé de décorations, poussé respectueusement en première ligne par son statut de résistant dans son fauteuil orthopédique aux chromes rutilants. Il devait les unes et l'autre à cette balle allemande qui lui avait explosé une des cinq vertèbres lombaires : une opération des FTP[1] conclue dans le sang. Cerclé de ses petites lunettes rondes, le regard brun de mon ancien élève éclairait un visage emprunt de gravité et de cette ironie rebelle qui en avait fait mon préféré, aussi réfractaire aux mathématiques que bon en thème…

Juste derrière le couple d'infirmes se dressait un ami d'enfance de Jean : Hervé, jeune gendarme promu à la Libération, joufflu anxieux, l'abdomen rentré, les jambes écartées dans la dégaine grotesque du shérif viril. Cervelle de linotte depuis son plus jeune âge, et son képi de parade n'y changeait rien ! Le temps n'était pas si loin où je lui tirais les oreilles : « Hervé ! Un jour, tu vas oublier ta tête ! » Aucune posture ne peut abuser un instituteur.

Un peu plus loin, je distinguais ma chère Augustine, petite mémé grise qui consacrait, chaque semaine d'avant-guerre, quelques heures de son existence ver-

1. FTP : Francs-tireurs et Partisans. Groupes de résistance.

tueuse à combattre mon désordre de célibataire. Femme de ménage et fidèle du Seigneur, croyant au bien, un idéal divin et sans taches, imprégnée d'une foi détergente... Malgré son âge, Augustine conservait cette énergie généreuse qui anime une minorité de paroissiens. Organiste le dimanche, elle brassait en semaine une bière houblonnée étiquetée (pour des raisons fiscales) sous le nom de *pain liquide*. Cette bibine domestique, au titre aussi confidentiel qu'un secret de confessionnal, décoction ambrée d'orges, de houblon, de chicorée, fruits de coriandre et de genévriers, avait réjoui plusieurs générations d'estomacs de Neu-Capellois.

Sur le côté, les plus jeunes de mes élèves s'alignaient sagement. Comme ils avaient pu me manquer ! Pourtant, je les trouvai si changés que mon bonheur de les revoir fut tempéré : métamorphosés en petits adultes, ils me faisaient toucher du doigt mes trois années de captivité. J'avais quitté des bambins impulsifs, bruyants ; je retrouvais des adolescents silencieux, aux lèvres duveteuses ; des filles aux hanches souples et aux tendres poitrines : des jouvenceaux presque inconnus, effarouchés désormais par l'évidence longtemps escamotée de leur sexualité. Bien sûr, ils devaient aussi avoir quelque peine à reconnaître leur instituteur en ce squelette grisonnant et austère, claudiquant sur ses deux cannes !

Trois ans ! Trois ans depuis mon arrestation en pleine leçon par ces deux policiers français revenant de leur perquisition. Je vois encore le regard glacial du gradé portant avec ostentation la pile des *Humanité* clandestines découvertes chez moi... J'avais rangé mes affaires devant la classe silencieuse, serré une à une la main de mes dix-sept élèves ; puis, juste pour rompre le silence, j'avais prononcé un dernier mensonge : « Ne vous inquiétez pas, les enfants, votre maître va bientôt revenir... »

Un petit sourire à Augustine et Paul, et j'étais monté à l'arrière de la Citroën noire entre les gardiens de l'ordre, laissant au tableau une fable inachevée de La Fontaine, « La raison du plus fort est toujours la meilleure... ». Il y avait trois ans... Mille jours...

Mille jours, c'est si long quand se comptent les heures. En ce matin de retour, je mesurais combien le temps avait fait son œuvre, furieusement stimulé par les démences du monde.

Le discours du maire. Je m'agrippai à mes cannes. L'interminable cérémonie me soulevait le cœur jusqu'à la nausée. En dépit de mes lunettes, le soleil me blessait les yeux. La place se dilatait comme une mer se retire, pour se rétrécir vertigineusement en rouleaux de vagues. Les nuages traversaient l'azur à la vitesse des oiseaux sauvages. Étourdissements... Face à ces prochains épiant mon infortune, je me sentais catapulté dans un vaisseau fantôme carnavalesque... Je ne supportais plus le soleil, le vent... Je ne supportais plus le ciel... Et tous ces regards qui me questionnaient en silence : « Est-il devenu fou ? ».

Je tentai de me concentrer sur l'allocution pour ne pas m'écrouler... Grande nouvelle ! La place allait être rebaptisée place de la Victoire... Le maire congestionné résuma ma carrière : vingt-cinq ans à éduquer les bons petits Français de demain... Il parlait de moi comme d'un absent, évoquait ma vie comme celle d'un mort. Qu'il est étrange d'entendre son propre éloge funèbre... Mais étais-je seulement encore vivant ? Je ne savais plus.

J'endurai les vibrants dithyrambes élogieux, rabâchés des valeurs françaises dégoulinantes du sang impur, et de l'héroïsme des enfants de la patrie. L'écharpe tricolore de René Quaeghebeur tressautait aux trémolos de circonstance. Je me les traduisis en allemand pour combattre cette nausée naissante, avec la certitude que mon sourire flottant ne serait pas mal interprété. Vive la France. *Über alles* ! Quelque part, un coq chanta quand le premier homme du village scanda son épilogue patriotique.

Le soleil. Au travers d'un brouillard lumineux, le maire se courba devant moi dans une salve d'acclamations. Sa femme Yvonne minauda aux applaudissements comme s'ils lui étaient destinés. Je parvins à m'incliner à mon tour, courtois jusqu'à la fin du discours, par simple reconnaissance de ne pas être invité à y répondre.

J'étais aussi soulagé car le curé n'avait pas tenté d'inclure au programme des réjouissances un office de Deo Gratias avec l'espoir absurde que les horreurs des *Lager*[1] aient rapproché de Dieu ce suppôt du marxisme matérialiste que je fus… Ne peut-on s'affranchir d'un de ces fantasmes sans succomber à l'autre ? En tout cas, j'appréciai d'être dispensé d'une escale à l'ombre des nefs de la *hallekerk*[2].

L'assemblée se replia dans la salle des fêtes. Je retrouvai mon souffle à l'abri de ses solides murs de briques qui me préservaient du ciel. Pourtant, je le savais, le repas constituerait un autre supplice moral. Mais là encore, je fis bonne figure.

Le menu était pantagruélique, dans la pure tradition des agapes bibliques corroborées de gourmandise flamande. Potjevleesch[3], bouchées à la reine suintant de crème, coqs de combat à la bière, langues de bœuf à la flamande ensevelies sous les pommes de terre au genièvre

1. Lager : camp.
2. Église flamande à trois nefs égales.
3. Terrine de viandes en gelée.

luisantes de graisse. Un banquet peut-il rattraper mille jours de privation ? Oignons frits fumant sur des collines de flageolets flandriens vert tendre, saucières remplies de fluide sombre, vin rouge clair de pays (un autre pays), corbeilles de tartines pour saucer jusqu'à l'asphyxie carbonnade, salades de chicons etc. La nausée me rattrapait, haut-le-cœur d'un estomac détraqué, dégoût métaphysique d'une âme moribonde. Le village alléché s'installait autour de ce festin de viandes où je ne voyais que des cadavres...

Pouvais-je leur montrer, à ces visages souriants, que mon plat favori demeurerait le pain moisi détrempé de bouillon d'épluchures ? Pouvais-je leur raconter ce plaisir intense et honteux à sucer ces vilains croûtons dégoulinants au grand amusement de nos gardiens hilares qui nous invectivaient : « Schwein ! Schwein ![1] » Comment leur avouer que je riais alors avec eux, la bouche pleine de cette soupe immonde, acceptant l'insulte, tout à ce réconfort insurpassable de rogner quelques heures à la barbe de la mort ; pouvais-je leur avouer qu'aujourd'hui encore, quand la faim me tenaille plus que la honte, je croque avec délice quelques pelures de légumes bouillis, en laissant voluptueusement couler le jus tiède dans ma chemise ?

Pour m'honorer, ils m'avaient assis à la droite de la moitié du maire. Moitié... étrange paradoxe de la langue, Yvonne étant aussi son double... Ah ! Madame la mairesse et son babillage anesthésiant dégoisé de ses seins énormes ! Fournisseur officiel et organisatrice patentée des ripailles du canton... Elle prenait le banquet à son compte, passant les plats dans le sens inverse des aiguilles d'une montre, apostrophant les diagonales, interrompant son

1. Porc ! Porc !

voisinage en général et son mari en particulier, à la moindre velléité d'intervention. Elle parlait de ce qu'elle mangeait, de ce qu'elle avait mangé et de ce qu'elle mangerait. Postillonné de sa bouche gloutonne, le récit de ses privations de guerre prenait une dimension surréaliste. Muet de répugnance, j'évitais de lorgner l'assiette de la première dame du village, jonchée d'ossements qui m'évoquaient les trépassés en tas, monceaux de côtes hérissées, pelletés dans les fosses communes.

Yvonne tenta de me sortir de ma torpeur :

– Ça n'a pas dû être drôle dans les camps de travail, uh, m'sieur Georges…

La mairesse pratiquait la litote pour me faire parler… Elle espérait sans doute quelque anecdote croustillante à resservir à l'estaminet. Mais je n'avais rien à dire. Que valent les mots pour décrire ce crépuscule de vapeurs âcres, cette terre aride sans arbre, sans herbe, fétide de tous ces corps en décomposition, debout ou couchés ? Pourquoi lui faire l'honneur du spectacle des fumées nauséabondes montant de ces camps où le silence n'était entrecoupé que des cris des bourreaux et des hurlements de leurs victimes ?

– Des camps d'extermination, rectifiai-je enfin.

Un instant, ses mandibules cessèrent leur travail de trituration :

– Uh… ? Je croyais que c'était des camps de travail…

– Le travail, c'était l'extermination… murmurai-je.

Je me sentis injuste. Mes humeurs n'avaient aucun sens. Comment pouvaient-ils savoir ? Un instant déstabilisée, ma voisine changea de sujet :

– Oh ! ici non plus, ça n'a pas été facile, vous savez, m'sieur Georges ! Le pays est à genoux… Tenez…

Elle se pencha vers moi avec la mine du dépositaire d'un secret d'État :

– Vous connaissez le prix du beurre en ville aujourd'hui, m'sieur Georges ?

– Plaît-il ? Le beurre ?

Oui, le beurre... L'aliment le plus rare, le plus convoité, la friandise absolue dont j'avais du mal à croire que ma plantureuse voisine ait pu être sevrée... Le beurre... De l'or tendre dont j'avais oublié le goût. Je supposai, le plus courtoisement possible, que son prix d'avant-guerre avait doublé :

– Le beurre... Heu... Quatre-vingts francs ?

L'œil de ma voisine s'arrondit de surprise :

– Uh ? Le kilo ? ! Vous voulez dire quatre-vingts francs le kilo ?

Elle donna un violent coup de coude gauche – le même à droite m'aurait achevé – au flanc de son mari :

– T'entends ça, René... Le beurre ! Quatre-vingts francs ! Les cent grammes, oui ! SIX CENTS FRANCS LE KILO ! Si, si... Oh ! m'sieur Georges, ici non plus, ça n'a pas été rose tous les jours ! Uh ?

Uh... Uh ? Ses seins tressautaient de bien-être à la perspective de ces années de paix tartinées de cholestérol à discrétion.

Le chapitre du beurre épuisé, nous sommes passés au fromage du mont des Cats. Mais je n'y touchai pas malgré les exhortations maternelles de ma voisine. Bruits de vaisselle. Vin, bière, genièvre : les cuvées de René coulaient à flot, irrigant les panses, enflammant les pommettes...

Mes villageois gris et repus commencèrent à se déplacer autour de la grande table pour me saluer. Respectueusement, les visages compassés défilèrent devant moi, répétant leur phrase amicale ressassée comme une leçon difficile : « On a bien pensé à vous, m'sieur Georges... »

Ma vieille gouvernante, Augustine, ronde et érodée, m'expliqua comme elle avait loué le Seigneur d'avoir permis mon retour. Face à ce visage doux et docile, je m'interdis de demander pourquoi Il n'avait pas autorisé celui des millions d'autres et à quel point cet arbitraire divin qu'elle remerciait si pieusement me paraissait répugnant ! La guerre balbutiait ses derniers hoquets, quand la Gestapo avait emmené son petit-fils pour une obscure destination. Pauvre Augustine, je lisais sa désespérance maîtrisée. Acceptait-elle sa disparition ? Ma question était cruelle et elle resta muette… Bien sûr que non : Augustine endurait juste le silence quotidien du facteur, en offrant son calvaire à Dieu. Tel Job, elle souffrait les épreuves du feu qui forgent la foi… En déchiffrant l'allégeance sur les traits de cette brave mémé que j'aimais, je compris ma nausée : alors, nous célébrions le retour du bien ! Et mes amis de retrouvailles fêtaient aussi la défaite du mal, comme des élus du ciel ayant terrassé le dragon…

Petit à petit, la fatigue anesthésia mon écœurement. Dans un brouillard, je vis Yvonne attaquer une énième assiette en pérorant sans mollir, tandis que j'entendis son maire de mari raconter à quelques administrés complaisants la résistance administrative contre l'occupant. Le brouhaha festif rebondissait sur les murs de la salle. Le plafond ployait au-dessus de ma tête douloureuse. La nappe blanche, désormais encombrée de cadavres de bouteilles et de vaisselle sale, dansait devant mes yeux usés…

– Et la viande ! Uh ? Si vous saviez, m'sieur Georges…

Yvonne revenait avec sa guerre sans me laisser le temps de répondre que je n'y tenais pas.

– Les Allemands réquisitionnaient tout. On avait droit à un kilo quatre de viande PAR MOIS ! Uh ?

« Par mois ! » La fin de la phrase franchit une octave pour en souligner l'épouvante, puis elle baissa la voix :

– Alors, vous ne savez pas ? Eh bien, les gens organisaient leur élevage clandestin dans leur cave, leur garage, leur remise. Tenez, les Lefebvre…

Son nez désigna un couple encore jeune entourant une petite fille.

– Un jour, leurs voisins ont entendu des cris affreux venant de chez eux. Affolés, ils ont appelé les gendarmes !

Elle se mit à rire :

– Uh… uh… Et vous savez ce qu'ils ont vu ? Eh bien, sur place, ils ont assisté à une vraie corrida ! Une vache maigrichonne et cinq moutons blessés qu'ils tentaient d'abattre ! Les bêtes avaient trouvé le moyen de se réfugier dans les pièces de la maison. Croyez-moi si vous voulez, m'sieur Georges, on m'a dit qu'il y avait du sang jusque dans la chambre à coucher ! Uh ! Je sais bien que les gens mouraient de faim, mais enfin, m'sieur Georges ! Être boucher ne s'improvise pas, uh ? C'est un métier, vous n'êtes pas d'accord ?

Uh ? Muet à ces vérités qu'elle m'assénait avec l'aplomb d'un élève idiot, j'opinai que oui, boucher était un métier…

Je tentai de retrouver mon souffle, en réfléchissant au moyen de m'éloigner au plus vite de cette poitrine martyrisée qui gonflait à vue d'œil un corsage menacé d'explosion…

Autour de la table, les sièges se libéraient. Dans cette ambiance de fin de fête, les jeunes désertaient la salle pour roucouler à l'ombre des platanes. J'enviais leur insouciance. Les plus petits se chamaillaient sur la scène dans un concert de cris perçants, cadencé de bruits de faïences et de tintements de verres, orchestrant une masse informe de phrases décousues, de rires stridents pour rappeler à tous l'allégresse d'une fin de guerre…

Fausse note dans cette harmonie grotesque, sur le flanc droit de la table, tassé sur sa détestable chaise roulante, Jean buvait, l'air sombre, sans un mot. Nos regards se croisèrent. Il esquissa un pauvre sourire qui broya mon cœur d'instituteur.

Yvonne surprit notre échange. Elle se pencha vers moi, en me mâchouillant à l'oreille un insupportable chuchotement pâteux et faussement empathique :

– Gisèle l'a quitté après l'accident… Si c'est pas malheureux…

Puis elle ajouta, ne résistant pas à la délectation d'un dernier souffle calomnieux :

– Uh… Il boit…

L'accident… événement dérisoire au milieu du maelström de la guerre, tellement inépuisable… Ainsi, la jolie brune, fraîche et pulpeuse, avait fui l'accablante perspective de vivre avec un infirme. Elle avait quitté le malheur dans un bourdonnement de médisances bien-pensantes.

Je ployai sur mon quartier intact de tome. Bien-pensantes ! Uh ! Ni bien ni pensant, évidemment ! Toucher le mal autorise-t-il une opinion sur le bien ? Notre univers moral est-il donc en noir et blanc comme un ciel d'hiver, et le mal ultime ne dévoile-t-il que le bien extrême, conformément à ce dualisme tellement confortable de ces moralistes incapables de compter au-delà de deux…

– Uh ? Vous ne trouvez pas ça injuste, vous ?

Yvonne poursuivait sa promenade calomnieuse :

– Et puis, m'sieur Georges… Ces résistants ? Quand même ! Vous ne croyez pas qu'il vaudrait mieux laisser faire les guerres à ceux dont c'est le métier ?

C'est injuste… Les guerres, une affaire de professionnels en quelque sorte ? Comme les bouchers… Le babillage d'Yvonne avait raison de mes sages résolutions. Je parvins à croasser :

– Quelle différence ? Si Gisèle était restée, cela aurait-il été plus juste ? Que savez-vous du bien et du mal, madame Yvonne ?

Comme la franchise est incongrue ! « Que savez-vous du mal ? » La question arrêta net les commentaires de ma voisine. Elle tourna la tête vers son mari rouge brique et le prit à témoin, en murmurant :

– Des têtes brûlées, uh…

Une couche de ce beurre si cher tartiné avec l'empressement affamé de celle qui se méfie des accapareurs, puis elle ajouta d'un ton péremptoire :

– Si vous voulez mon avis, des voyous…

Le reste se perdit dans une mastication réprobatrice. Pauvre Jean… Son engagement incertain était condamné par ceux qui n'avaient fait aucun choix. Mais, la tartine engloutie, Yvonne se justifiait déjà :

– Vous savez, nous n'avons jamais pactisé avec les Allemands. Jamais ! Bien sûr, en tant que maire, il a bien fallu composer avec le « banoffe » ou le chef de culture… Mais on ne s'est jamais enrichis ! Ce n'est pas comme certains, uh…

Comme un mitrailleur dans son blockhaus avancé, Yvonne changeait de cible. Marcelle, dite la Richarde, essuya le deuxième tir de clabaudage. Le regard oblique, madame le maire lâcha une première salve. Elle répéta pour être sûre d'avoir été bien comprise :

– Pour sûr, certains se sont enrichis !

Elle lorgnait le couple Richart en face de nous.

– Les affaires… Vous savez, l'Occupation n'a pas été dure pour tous. Enfin ! Il faut de tout pour faire un monde, uh ?

Il faut de tout pour faire un monde... Chacun son métier... Ces phrases allusives tuaient chez moi toute velléité de réponses. Les truismes des rédactions écolières m'avaient toujours mis hors de moi. Mes élèves m'infligeaient souvent ces phrases creuses de fausse philosophie, de poncifs frappés au coin du bon sens terreux, ramassés dans les cours de ferme pour étoffer leurs laborieuses copies de potaches, comme ils meublaient les repas de tartines et de soupe dans les cuisines...

J'observai la Richarde désignée par Yvonne, la silhouette décharnée à l'autre bout de table, le nez dans son assiette et les pensées dans son livre de comptes, l'esprit métallique et l'âme obtuse. Les guerres se nourrissent de ces êtres dociles et calculateurs, me dis-je, en sachant ce genre d'opinion affective et arbitraire. Oui... *Il faut de tout pour faire un monde...* chaotique jusqu'à l'absurde, absurde jusqu'à la démence.

À moins que je ne fusse moi-même dément... Comment un fou pourrait-il répondre de sa propre santé mentale ? Comment les hommes prétendument raisonnables seraient-ils en droit d'attester de leur discernement ?

– Cerises ou rhubarbe, m'sieur Georges ? Il y a aussi de la *paptaart*[1].

Partir... Je ne survivrais pas à la prochaine bouchée... La bouche grimée de sirop de fruit et de mousse de bière, la femme du maire, après avoir balancé ces quelques grenades, brandissait deux quartiers dégoulinant de crème colorée par les fruits. La rouge ou la verte ? Ma foi... Le choix donne l'illusion de la liberté. Je parvins à répondre avant qu'elle ne m'impose les trois :

1. Tarte au lait bouilli.

– Je vais opter pour la rouge, madame Yvonne, balbutiai-je. Entre deux maux…

Elle me jeta alors un étrange regard. Cette allusion à mes opinions d'antan ne la fit pas sourire. De toute façon, je n'avais nulle envie d'évoquer la couleur des triangles cousus sur nos chemises rayées[1]. Une discussion politique avec un homme revenant de trois ans de *Lager* pour sympathies communistes n'est pas confortable. Elle le sentit et c'est bien la première chose dont je sus gré à ma plantureuse voisine. Elle dut considérer la prospérité immorale des accapareurs, sujet plus approprié que la Résistance :

– Uh ! Les riches se sont enrichis et les pauvres n'ont plus les moyens de se loger ! Tenez, il paraît que le pauvre Noël doit des mois de loyer en retard aux Richart… Si ce n'est pas malheureux…

Un coup d'œil faussement charitable à l'intéressé, exilé en bout de table, comme un indigent invité par charité. Le vieil empailleur tenait à son assiette un discours silencieux. Depuis des années, il marmonnait ses monologues fâchés, dans les champs, à l'église ou à l'estaminet. Nul doute qu'il poursuivait ces débats solitaires, chez lui, en compagnie de ses animaux pétrifiés… À ses côtés, trop sourde pour l'entendre, la vieille Émilienne Richart vibrait dans le silence de James Parkinson.

Yvonne enfourna un bout de tarte phénoménal, puis fit pivoter son feu meurtrier vers madame Richart mère :

– C'est comme Émilienne… Elle leur doit des centaines de francs de loyers en retard ! Vous pensez qu'ils passeraient l'éponge ? Ce n'est pas le genre de Marcelle, uh ! Même sa belle-mère… Uh ! Entre Richart non plus, on ne se fait pas de cadeau !

---

1. Triangles rouges pour les détenus politiques, verts pour les droits communs, jaunes pour les Juifs.

Un ton plus bas, dans une confidence mutine, elle confirma :

– Pas de cadeau, surtout à sa belle-mère… Uh, uh…

Sa voix devint chuchotement :

– Regardez bien, m'sieur Georges, ils accumulent les restes, ils disent que c'est pour leur chien, mais c'est pour eux ! On ne devient pas riche par hasard, uh !

Uh, uh… Yvonne gloussait, la bouche pleine, fixant les petits paquets accumulés autour de l'assiette de Marcelle. La conversation tomba. Un convive renversa son verre dans un concert de quolibets, une plaisanterie déclencha quelques ricanements complaisants… Dans la débandade de fin de repas, je me souhaitai : bienvenue au pays…

Je me levai, incapable d'en écouter davantage, lesté des dernières bouchées stagnant au niveau de l'estomac. C'est donc cela, la paix ? Rien que la haine qui chuchote ?

D'un signe de tête incertain, je refusai une deuxième pâtisserie et pris congé de ma voisine, après avoir essuyé une ultime recommandation prophylactique… Sans plus me préoccuper des attentions pesantes, je parvins, claudiquant vaille que vaille, à rejoindre Jean trinquant avec sa solitude.

Ah, Jean ! Mon préféré, mon ami, mon fils… Que de soirées avions-nous consacrées à lire le monde à travers l'or pétillant du pain liquide d'Augustine ! Que de livres avions-nous réécrits à l'encre de nos esprits contradicteurs !

Immobile, il me regarda venir à lui à pas hésitants. La trentaine émaciée, ses yeux lumineux derrière des lunettes rondes trahissaient l'énergie intérieure. En vérité, dire que c'était mon meilleur élève reflétait ma subjectivité. Nul en math, c'est vrai, mais le plus rebelle, toujours à questionner avec pertinence, contester avec opiniâtreté, incapable qu'il était d'accepter le dernier mot de l'autre... Prompt à dévorer les lectures que je lui conseillais. Intelligent à force de courage, cultivé à force de curiosité, passionnant à force d'agacer... Le retrouver là, foudroyé dans sa générosité, n'avait rien d'étonnant. La guerre ménage seulement ceux qui se camouflent, supputent, calculent. Il agrippa ma main tendue :

– Vous vous amusez bien, m'sieur Georges ?

Il émit son petit rire semblable à un éternuement. Un bref éclat grinçant, moqueur, contenu. Je m'assis lourdement à côté de lui :

– Alors, comment te débrouilles-tu, Jean ?

Il hocha la tête sans me lâcher la main.

– Je me débrouille, m'sieur Georges, vous me connaissez.

M'sieur Georges... Tous les élèves m'appelaient ainsi. Sans respect excessif, sans affectation, comme, au village, on disait m'sieur l'curé ou m'sieur l'maire. Jean hocha la tête :

– Content de vous voir, m'sieur Georges...

Je me détendis un peu à cette simple parole de bienvenue qui m'allait droit au cœur. Que dire ? Il s'était passé tant de choses. Jean rompit le silence le premier :

– Vous savez, avec les bras, on peut tout faire : la cuisine, le jardinage, le ménage... Et ils fortifient !

Il fit le geste de l'haltérophile. Il ajouta pour me convaincre que tout allait bien :

– J'habite toujours au Kleindorp... Vous viendrez me voir ?

Hameau de quatre bâtisses, le Kleindorp se trouvait à dix minutes à pied au nord de Neu-Cappel, à la lisière du bois de la Becque. Jean y habitait une simple fermette appartenant à la famille Richart.

– Vous avez dû en voir, médita-t-il, l'œil fixé sur son verre. Évidemment, trois ans, c'est long, mais vous voilà. C'est bien !

– Bien ? Je ne sais pas, Jean… Tu sais, le bien…

Lui aussi me jeta un regard bizarre. J'eus le sentiment déprimant que personne ne me comprendrait plus jamais.

Jean trempa le nez dans son verre de bière. *Vous avez dû en voir…* Ce n'était ni une question ni une invite à la confidence.

– Je n'aurais jamais dû revenir, Jean : nous étions 1 175 dans le convoi du 6 juillet 42. On nous appelait les 45 000 à cause de nos matricules. Je ne sais même pas s'il y a d'autres survivants…

Je remontai la manche et exhibai le numéro tatoué sur mon avant-bras gauche : 45 170.

– La chance, la malchance ? Le fait que je parle allemand ? J'ai prétendu être infirmier… Ils m'ont affecté au block 10… Cela m'a sans doute sauvé. Je me demande vraiment combien en sont revenus[1]…

– Le block 10 ? questionna mon ancien élève.

J'hésitai :

– Une sorte d'hôpital à Auschwitz 1… En tout cas, j'ai échappé à Birkenau[2].

Un éclair lui traversa le regard :

– Dites, c'est vrai ce qu'on dit ? Ce n'est pas de la propagande alliée ? Il ne s'agissait pas seulement d'internement ? C'étaient des camps de concentration ?

– D'extermination, Jean…

Il baissa la tête et répéta d'un air lugubre :

– Vous avez dû en voir…

Il préféra changer de sujet. Je comprenais. Moi-même, je n'avais pas plus le désir d'évoquer les circonstances de son infirmité que celles de ma déportation.

---

1. On ne dénombrera que 120 rescapés sur les 1 175 déportés des « 45 000 » du convoi du 6 juillet 42 au départ de Compiègne.

2. Auschwitz 2.

– Bon ! Il faudra reprendre vos lectures, m'sieur Georges. Vous avez du retard…

– Oui ! Merci, Jean ! Tous ces livres que tu as mis chez moi… C'est très généreux… Trop… Il y en a un pan de mur entier ! J'ai l'impression que tu m'as prêté ta collection complète !

– Donnés ! Ils sont à vous, m'sieur Georges ! Je les ai tous lus ! Et puis, ça me débarrasse… Ma bibliothèque déborde. Ça me ferait plaisir que vous repreniez vos lectures… Vous viendrez m'en parler… Comme avant…

Il gloussa à l'évocation de nos débats idéologiques. Un petit sourire en coin pour rappeler le temps où nous échangions nos sacs de bouquins et de bouteilles.

Je l'observai descendre sa bière, le nez dans le verre, les yeux fermés. Que de souvenirs… En dépit de sa fâcherie avec les sciences, Jean avait néanmoins entamé un brillant parcours universitaire de lettres classiques et de philosophie. Chaque dimanche, il avait initié son vieil instituteur, l'élève ayant dépassé le maître. Puis la guerre avait éclaté.

Un brin de cynisme, une touche de nostalgie complice. Tout cela était loin. Tous ces ouvrages… Étrange cadeau de bienvenue… Bien sûr, Jean connaissait ma passion pour la lecture.

– Que lis-tu en ce moment ?

Bizarrement, la question le troubla :

– Oh… Spinoza… Le Juif rebelle ! En ce moment, je relis *l'Éthique*…

– *L'Éthique* ? Eh bien, j'aimerais savoir ce qu'ils en auraient écrit, de cette guerre, tous ces penseurs qui ont refait le monde…

Jean ricana :

– Peut-être même qu'ils n'écriraient plus !

Il pouffa. Je haussai les épaules :

– Peut-être…

Il lampa son verre :

– Évidemment… Remarquez… l'absurde les a tous enterrés ! Hein, m'sieur Georges ?

Il émit son drôle de rire, un éternuement sec et sans joie.

– Et alors ? Spinoza ? demandai-je.

Jean réfléchit :

– Spinoza ? Il pensait que le mal résulte d'une comparaison[1]… Il n'a pas de réalité absolue… Qu'en dites-vous, m'sieur Georges ?

– Pfff… Une comparaison ? J'en dis que ça ne vaut même pas la moyenne…

Mon ancien élève posa la main sur mon bras.

– Remarquez, c'est le problème des écrivains : ils ne peuvent se repentir car ce qui est publié est publié ! Pas d'effacement possible de l'encre sur le papier ! La littérature ne connaît pas l'absolution !

Il s'esclaffa encore, d'un éclat pathétique. Mon cœur se serra. Pourtant, je lui fus reconnaissant d'aborder ce genre de sujet dans cette kermesse de la bêtise, bruissante de tous ces poncifs angoissants.

Le mal, une comparaison ? Je ne répondis rien, préférant oublier Spinoza pour ne pas lui souhaiter un stage de philo appliquée à Auschwitz-Birkenau… Ah, Jean ! Que dire ? Je souffrais tellement de te voir ainsi rivé à cette prothèse métallique. Les mutilés non plus ne connaissent pas l'absolution.

Le mal, bien sûr… Y a-t-il seulement une autre question ? J'aurais pu lui confirmer l'avoir pratiqué ; sous l'éclairage éblouissant de la Guerre mondiale, ce problème restait pourtant une énigme. Qui est coupable ? Trois années infernales ne m'avaient pas permis de

1. Correspondance avec Blyenbergh. Lettre XIX, Œuvres t. IV.

résoudre le mystère. Et leur fin n'y répondait pas davantage... en se contentant de l'éluder.

Le long visage de Jean s'animait de cette ironie résiduelle. Brillant de bière, son regard curieux et joueur me fixait. Oui, la flamme de ses yeux brillait toujours. Il exécuta un quart de tour de roue et attendit. Je murmurai en scrutant le village attablé :

– C'est étrange, Jean, nos étagères sont remplies de livres magnifiques, des millions de mots, des traités définitifs, des essais hardis, des encyclopédies... Je les ai accumulés, je les ai lus, récités... Ma bibliothèque était devenue une fortification humaniste. Maintenant, qu'en reste-t-il ? Franchement, dis-moi à quoi ils ont servi ? Tu as déjà vu des bouquins arrêter les barbares ? Ils en font des autodafés ! Oui, Jean, inutiles ! Inutiles, je te dis... parce que ridiculement inoffensifs !

– Inoffensif ? *Mein Kampf* ?

Je haussai les épaules :

– *Mein Kampf* ? Un livre méchant et sans intérêt... Inoffensif, oui... jusqu'à ce que son auteur se mette à parler et à agir... Et là !

Je réfléchis un instant avant d'ajouter :

– Tu vois, peut-être l'orateur se met-il en danger ; mais l'écrivain lui, vit dans le confort de sa solitude. Il ne parle qu'à lui-même. Il ne pose donc aucun acte politique. Voilà pourquoi il peut écrire ce qu'il veut...

Je m'arrêtai. À l'autre bout de la table, le timbre de Marcelle houspillant son mari couvrait ma voix. Nous regardâmes sévir *la Richarde*. Puis je détournai les yeux en baissant le ton :

– C'est vrai, Jean... Je voudrais comprendre ce qui s'est passé. Comprendre, juste pour accepter... voilà tout... Comprendre pourquoi le monde s'embrase, pourquoi les gens médisent, pourquoi ils se barricadent chez eux à la nuit tombée, pourquoi les élèves se battent à la récréation… Pourquoi tous ont si peur…

Mon jeune interlocuteur haussa les sourcils d'un air dubitatif, comme si je lui avais proposé un exercice hors programme scolaire. Il prit le parti de s'esclaffer :

– Rien que ça ! Vous me proposez une excursion de l'Annapurna ! Dans mon état ! Une enquête primordiale, en quelque sorte… Et vous avez des suspects ? demanda-t-il, sardonique.

– Non… À mon sens, la recherche du coupable est un faux problème.

Il leva le doigt :

– Dieu demande *Où est Abel, ton frère ?* Caïn dit : *Moi, je l'ai tué, mais Toi, Tu as créé en moi l'instinct du mal…*

L'instinct du mal, peut-être… Celui qui l'expliquera : voilà le Livre des livres…

– Oui, Jean. Mais tu sais que je ne crois pas en Dieu. Le coupable n'est pas là-haut.

Il gloussa en examinant le plafond blanc comme s'il y cherchait un indice. On aurait dit un drôle de hoquet qui sonnait comme un sanglot. Il hocha la tête :

– Ça, m'sieur Georges… On le savait déjà, non ?

– On le pensait, Jean, maintenant, je le sais.

Je finis mon verre. Je voulais noyer ma nausée mais l'inverse se produisait : par manque d'habitude, l'alcool attisait mon malaise. Je baissai la voix et poursuivis en balayant la table du regard : Marcelle, Yvonne, René, Albert et tous les autres…

– Ils ne savent pas… Personne n'a encore pris la mesure de ce qu'étaient les *Lager*, Jean… Personne, tu entends ? Il faudra du temps, tu sais… Et encore, il faut l'avoir vécu… Tu ne croirais pas… J'ai vu…

Je m'interrompis. Prononcer les mots qui me taraudaient m'aurait achevé. Je bafouillai donc :

– La seule chose que je puis te dire… quand l'anéantissement obscurcit les esprits, et qu'on recherche le moindre présage d'espoir pour ne pas devenir fou… il n'y a rien de plus vide que le ciel d'Auschwitz-Birkenau… Si Dieu existait… Non… Il n'aurait jamais permis que ces enfants…

Je fermai les yeux. Deux visages persistèrent, spectres terrifiants. Je renversai mon verre.

Jean avait pâli. Il me jeta un œil atterré, puis demanda :

– Des enfants ?

Les mots me brûlaient la gorge :

– Oui, des enfants. Exterminés avec leurs mères… Des gosses, des nouveau-nés, des familles complètes de deux ou trois générations… Par milliers…

Je tremblais.

– Les médecins SS pratiquaient des expérimentations : les cobayes favoris étaient les jumeaux. Il y avait deux jumelles au block 10…

Les jumelles… Je m'interrompis, le cœur au bord des lèvres. À quoi bon ? Autour de la table, les sourires étaient grimaces ; les rires, des délires… Étais-je devenu fou ? Conscient de patauger dans le tragique en pleine fête, je conclus d'une voix hachée :

– Je défie quiconque de justifier le martyr de deux enfants… juste deux…

– Justifier ?

Jean me jeta un coup d'œil intrigué.

– Oui, *justifier*. Aucune réponse n'est plus possible…

Il ne répondit pas, il n'avait rien à justifier, bien sûr. Nous nous sommes tus au milieu du tapage diffus de la fête, intrus sinistres de cette comédie sociale, simples spectateurs d'une agitation qui ne nous obligeait pas. Jean restait silencieux, vibrant, tragique, courbé sur sa chaise comme s'il voulait en bondir pour faire mentir le destin.

– Pourtant, les gens ont besoin d'une réponse, m'sieur Georges. Ils inventent Dieu ou les réincarnations... juste pour donner un sens...

En renouant avec nos débats d'avant-guerre, il souhaitait dépassionner la discussion.

– Alors, m'sieur Georges, qui est l'auteur ?... Non, bien sûr, le coupable n'est pas là-haut...

Je lui serrai l'épaule. Il cligna des yeux quand je lui chuchotai à l'oreille :

– Ni le Sauveur... Hélas ! Le ciel de Pologne est parfaitement vide...

M'sieur Georges ! Quelqu'un me hélait. Je me levai avec difficulté, la main sur l'épaule de Jean :

– Je suis sursitaire. Tu vois, certains croisent Dieu et Lui vouent leur existence. Moi, j'ai rencontré le démon...

Mon ancien élève replongea dans sa bière sans me répondre.

La voix chevrotante d'Émilienne m'apostrophait. Je m'éloignai :

– Merci pour les livres, Jean...

Émilienne m'appelait en agitant une main décharnée. Tandis que je la rejoignais à petits pas laborieux, les accents de la Richarde s'entêtaient à percer le brouhaha de la fête, interpellant impitoyablement le pauvre Albert devant tout le village :

– Tu ne l'as pas encore fait ? Vas-y ! Qu'est-ce que tu attends ?

Fustigé par les invectives de sa femme, le fermier se leva précipitamment et mit son chapeau.

– J'y vais, Marcelle...

Piteux, il disparut, poursuivi d'une dernière recommandation stridente :

– Et tu reviens me chercher ! Je ne vais tout de même pas rentrer à pied au Kleindorp !

Je m'assis aux côtés d'Émilienne, toute vibrante de contrariété :

– Vous avez vu comment elle traite mon fils ! Et lui ! *Oui, Marcelle, j'y vais, Marcelle...* Je ne le reconnais plus... Normal, elle l'éloigne de moi...

Je haussai les épaules avec fatalisme :

– Bah ! Rien de tout cela n'est nouveau, Émilienne...

La vieille murmura d'une voix aigre :

– Tout ça parce que son horrible chien n'a pas mangé ! Cette brute a tué ma chatte... ma pauvre Minette !

Elle étouffa un sanglot.

– Tel chien, tel maître, m'sieur Georges...

Je hochai la tête. Bienvenue au village ! Je jetai un coup d'œil à Noël, juste à côté, en perpétuelle conversation avec lui-même. Couverts du bruit de la fête, les chuchotements traversaient les cœurs, peuplant les réjouissances obligées de leurs sifflements de souffrances... C'était donc cela, la paix ?

Non, pourtant, rien de nouveau. Déjà, avant la guerre, Émilienne et Noël marmonnaient, Yvonne médisait, la boulangère colportait, l'estaminet éructait, le curé ronchonnait et Jean se rebellait. Mais ma vision du monde avait changé.

La vieille femme poursuivait son réquisitoire :

– Ce maudit chien aboie toute la journée. Il tue mes chats... pendant qu'*elle, elle* ruine ses locataires... *Elle* ne pense qu'à l'argent !

Qui donc au village n'avait pas l'obsession de l'argent ? Je gardai mes réflexions pour moi.

– *Elle* possède la moitié des terres de la commune ! Et ça ne lui suffit pas ! Mon fils est comme un caniche...

Son cornet acoustique sur la table, Émilienne me montrait du nez Marcelle en conciliabule avec le maire. Les propos décousus de l'octogénaire avaient trouvé en moi un interlocuteur muet :

– Ces gens-là s'enrichissent pendant les guerres et prospèrent en temps de paix… Elle traite mieux les vaches que les gens !

Ma voisine parlait trop fort. Je tentai de la calmer en lui tapotant la main ravinée et tremblante. Mais, agitée de vaine colère, elle ne s'arrêtait plus. Elle radotait, abandonnée à ses idées fixes, livrée à sa solitude du Kleindorp où elle gaspillait les derniers jours de sa vie à nourrir son ressentiment, en guettant sa bru derrière son *brise-vue* de dentelle jaunie.

Non, vraiment, rien de tout cela n'était nouveau. Avant la guerre, les Richart possédaient déjà la moitié du village et menaient la vie dure à une dizaine de fermiers ou de métayers. À mon insu, les médisances d'Yvonne me résonnaient dans le crâne. Je n'avais aucune difficulté à imaginer les fructueuses opportunités du marché noir. Petites indignités insignifiantes dans un monde perdu dont certains ne pouvaient accepter l'impunité.

Ma journée de retour se déroula ainsi, ambiguë, surréaliste et épuisante. Revenant des *Lager* de la mort, je me considérais sursitaire, avec ce sentiment résiduel de ne plus être concerné par cette étrange farce humaine, cette *pièce écrite par un imbécile* où les uns parvenaient avec talent à ignorer l'omniprésence du mal et les autres – les pires – croyaient s'en défendre.

Dans son coin, Jean continuait de boire. À côté de moi, Émilienne tremblait encore de confidences amères, Noël soliloquait toujours son interminable démonstration ; en bout de table, Marcelle négociait on ne sait quelle affaire avec le maire, l'écoutant d'un air important et suralimenté. Faussement dégagée, Yvonne surveillait son mari, tout en remplissant son rôle de maîtresse de cérémonie gourmande et les assiettes de tous ceux qui mastiquaient pour dissimuler qu'ils n'avaient rien à se dire.

– Il reste de la bavaroise à la chicorée ! On ne va pas en laisser, quand même !

Si seul dans cette foule... Étais-je fou ? Peut-être pas... Peut-être, si la folie se mesure à la solitude et à ces obsessions : le mal, qui est en est l'auteur ? Je le voyais, je le sentais. Je n'avais qu'à tendre le bras tatoué pour tâter son tentacule gluant. Il était bien là, sournois, rôdant sans virulence comme des germes endormis, planant au-dessus des cœurs en attendant un terrain propice.

Ces années ténébreuses me l'avaient appris : les tortionnaires germains, anciens comptables, ex-banquiers, infirmières un temps dévouées, tous fonctionnaires compétents, retiraient leurs bottes avant de coucher leurs petits avec une belle histoire. Et les Gretchen en uniforme, aux tresses blondes et à la peau douce, minaudaient à l'amour la nuit et glapissaient à la mort le jour. J'avais reconnu les auxiliaires zélés du peuple des bourreaux en leurs victimes reconverties, pogromistes de Roumanie, hommes de main baltes, kapos juifs, xénophobes bataves, antisémites français, fils aînés de l'Église, bureaucrates chapeautés... Oui, je le savais : le mal n'était pas l'apanage de quelques damnés teutons, oubliés de Dieu, foudroyés par quelque malédiction infernale, mais bien un patrimoine universel par-delà les frontières, funeste esprit malin réfugié en chacun, dans un morne camp de briques d'Europe Centrale, comme une salle des fêtes d'un village de Flandre. Tour à tour coupables et victimes... Les suppliciés eux-mêmes m'apparaissaient les perdants d'un jeu de rôle où chacun était interchangeable, n'en déplaise à ceux qui regarderaient les camps vides comme les cimetières du monstre concentrationnaire, en feignant de croire que tout cela était d'un seul temps et d'un seul lieu...

Les bourreaux avaient-ils vraiment un autre visage que le nôtre ? Tous coupables, tous victimes… Et la responsabilité nous file entre les doigts comme le sable écarlate d'Omaha Beach.

Alors, qui combattre ? Où ? Le mal n'a pas d'adresse. L'enfer est aussi vide que le ciel. Mais qui en est donc l'auteur ? Question muette frappée d'une omerta des philosophes et des politiques, plus ou moins conscients qu'elle menace toutes les autres…

À bout de force, je quittai Émilienne, incapable d'affronter plus longtemps cette souffrance qui la possédait. La tarte aux cerises m'emplissait encore la bouche, parfumée du café au goût amer de Libération. Sur la place, des villageois éméchés tiraient quelques rafales joyeuses dans le ciel. L'écho de leurs détonations me transperça le ventre. *Schwein ! Schwein !*

La salle des fêtes se mit à tourner dans un vertige anesthésiant mes sens. La lumière s'éteignit et le brouhaha s'estompa. Mes cannes tombèrent sur le carrelage et les jambes m'abandonnèrent au milieu des visages blancs de ces tristes enfants que je ne reconnaissais plus.

*

* *

Les portes d'Auschwitz-Birkenau se sont ouvertes un soir d'hiver, offrant aux libérateurs de l'Est une saumâtre victoire : je vois encore ces soldats médusés face à nos squelettes vivants, témoins hagards de l'ignominie humaine, survivants moribonds trop épuisés pour nous en réjouir.

Bien sûr, les vainqueurs ont puisé dans la géhenne l'illusion d'appartenir au bien, investis du devoir divin de pourchasser les assassins, ces incubes, déserteurs de paradis, tueurs déchus escomptant un retour à la médiocrité et s'arrangeant des lambeaux de leur conscience écartelée entre le taraudage du remords ou la monstruosité abyssale de l'oubli.

Mais moi, je savais. Je savais... Bien après la dernière éructation nazie, je savais que le mal planerait toujours sur la plaine de Pologne... et le reste du monde.

Voilà, je ne crois plus au bien. Plus en celui du Dieu de la Genèse qui vit que cela était bon... Je ne crois plus au mal, simple dissidence du premier, comme Lucifer, ange rebelle, a trahi son maître. Le mal ne peut-il être que l'affaire de tortionnaires dépravés, découpeurs d'innocentes pubères ; et le bien, celle de ces héros en treillis de combat qui les vainquirent ?

Depuis des temps immémoriaux, les héros des livres d'histoire font mine de triompher des forces maléfiques. Je le sais maintenant, les livres mentent : c'est le mal qui forge l'histoire.

Le stalinisme a défait le nazisme. Mais j'ai appris aussi qu'un totalitarisme chasse l'autre. Je ne crois plus nos actes mesurés au baromètre de l'esprit éclairé, persuadé de son pouvoir quantificateur : quantification algébrique, bien sûr, puisque l'un serait le négatif de l'autre. N'en déplaise à ces inexpugnables citadelles fortifiées de certitudes : le périmètre du mal n'est pas circonscrit à ses ambassadeurs dévoués... et notre monde continue d'achopper sur cette difficulté majeure, le plus horrible des paradoxes : cette impossibilité à définir le bien sans s'appuyer sur son contraire, en posant d'un point de vue logique un tragique problème de référence circulaire.

La question du mal constitue bien la plus complexe des énigmes. La plus urgente aussi car, quand elle nous trouve, pantelants et étonnés, il est déjà trop tard.

Je chercherai jusqu'aux enfers, dussé-je m'y brûler : je vous l'ai promis.

Chapitre 2

Lentement, je recouvrais la santé. Mon esprit quant à lui, incapable de projets, se contentait d'agripper quelques sensations d'homme libre : le silence d'une solitude habitée, la sensualité d'un papier vélin, le chuintement d'une bouilloire sur sa plaque brûlante, le parfum du café moulu, l'odeur acide et fraîche de la Javel répandue par la vieille Augustine sur le carrelage humide.

Peu à peu, je retrouvais mes marques dans ma petite maison de briques près de l'école. Hormis la nouvelle bibliothèque croulant sous les livres de Jean et constituant la quintessence de la pensée humaine, rien n'avait changé ; l'univers de Georges Liévin ressemblait à une chambre, à la fois étrangère et familière, où un mauvais rêve peuplé de revenants nous réveille…

Augustine accomplissait les modestes tâches ménagères dans ma maison de quinquagénaire célibataire. Pendant ma captivité, la brave femme avait poursuivi l'entretien de la demeure abandonnée : nettoyer le potager, briquer les cuivres ternis par le temps, épousseter les livres délaissés, avec le respect de celle qui ne les ouvrirait jamais.

Dans sa maison à la lisière du village, Augustine devait sans doute s'occuper de la chambre vide de son petit-fils avec le même dévouement, la même ferveur : une prière quotidienne pour convaincre *son* Dieu de lui rendre *son* cher disparu, et pour que tout redevienne comme avant.

Mais voilà... J'étais revenu ; Paul, non. Et cela n'avait aucun sens. Je me souvenais de cet élève appliqué, fagoté de gilets de laine tricotés maison, orphelin souffrant d'être trop couvé par sa grand-mère ; vélo, football, pique-nique, Augustine tremblait pour lui à toute aventure anodine. Et puis, il y avait eu la guerre...

Je savais bien que Paul appartenait aujourd'hui à ces légions d'âmes sans sépultures, dont les corps se mélangeaient aux scories des ruines, aux gravats des décombres. Disparu comme des millions d'autres, cendres grasses des crématoires, spectres ricanant échoués au fond de leur prison sous-marine, squelettes casqués agrippés à leur fusil au milieu d'une jungle du Pacifique, morts-vivants ensevelis sous de terribles vestiges, les bras autour du crâne dans un réflexe dérisoire, tous engrais de fourrage décomposé ou plancton des marées en devenir. Poussière, tu retourneras à la poussière... Cinquante millions de dépouilles renvoyées au néant initial, malgré les suppliques de la pauvre Augustine...

Le monde pourrait-il redevenir comme avant ? Pour moi, c'était absurde. La guerre avait cessé en Europe mais des bataillons de cadavres ignoraient la paix, condamnés qu'ils étaient à la guerre éternelle.

Et puis, tous ces vivants mornes, ces cinquante millions d'errants, endurant la paix des pauvres dans les quartiers de transit ou les nouveaux camps de prisonniers. Et tous ces frères qui retournaient au bercail, dépouillés du sens de la vie...

Et ce n'était pas fini. À l'autre bout de cette planète anéantie, le Japon paraissait s'engager dans une ultime bataille suicidaire. Les dernières fumerolles de ce cauchemar n'étaient pas près de se dissiper…

Augustine venait donc un matin sur deux, humble souris nettoyeuse, bête à bon Dieu docile, grand-mère attentionnée accomplissant ses tâches admirables – vaisselle, serpillière, linge sale – rangeant, frottant, époussetant, épluchant, avec le même étrange engagement qu'à l'église elle s'agenouillait, communiait, s'asseyait, s'inclinait, se relevait, priait la Sainte Vierge, le bon saint Éloi ou la bienheureuse Rita. Entre agacement et émotion, je la regardais vaquer, menue et sans couleur. Ah ! Augustine ! Que cela rassure de brasser les choses, consciencieusement, méticuleusement, comme si la répétition donnait un sens à nos chagrins…

– Laissez, Augustine ! Je ferai le lit moi-même…

– Non, m'sieur Georges ! Vos draps sont en *ratapon* : vous n'allez quand même pas dormir là-dedans…

Pauvre Augustine ! Dans le monde dessiné par son Créateur, les hommes dorment dans des lits aux draps frais, séchés par le vent ensoleillé de la campagne nourricière ; ils déjeunent dans des assiettes brillantes les plats mijotés qu'Il leur donne, saucés de la miche de chaque jour. Ils boivent son *pain liquide* brassé avec tant de vertu. Si Augustine avait su qu'il existait des baraquements de briques, abandonnés au Diable, où les hommes au regard mort dormaient en paquets sur des planches sans matelas, pataugeaient dans leurs excréments, et mangeaient avec la vermine dans des écuelles nauséabondes un bouillon dont son chien n'aurait pas voulu…

Augustine, silhouette fragile, courbée sur sa douleur discrète attisée d'un silence pieux et de prières vaines, baissant des yeux aussi décolorés par les années que ses cheveux fins. Je lui répétais mes mercis insistants avec des *reposez-vous, Augustine !*, lui taisant mon amertume si peu catholique.

Pourtant, elle me rappelait à la foi :

– Vous devriez faire confiance à Dieu, m'sieur Georges ! Il donne tellement de réconfort ! Il faut croire en Lui : Il nous apportera le salut.

Je croassais alors un bafouillage révolté :

– Le salut, Augustine ? *Le salut ?* Excusez-moi, mais quel merveilleux *salut* pourrait nous dédommager ?

Puis je m'en voulais. Comment aurait-elle pu savoir ? D'ailleurs, je ne lui racontais rien : ni les portes des wagons coulissant sur leur chargement silencieux, ni ces mains implorantes au travers de leurs meurtrières, ni les monts de chaussures lacés deux à deux par leur propriétaires déjà consumés, ni ces rassemblements compacts et mous de cadavres bennés comme des immondices… Il faudra du temps au monde… Comment moi-même, pessimiste radical et sceptique viscéral, aurais-je pu croire cela possible, s'il ne m'avait été infligé de le vivre ?

Oui, il leur faudrait du temps pour comprendre que le mal gouvernait notre siècle : industriel… et radical.

Pourtant, à mon cœur défendant, je contrariais Augustine. Non par mes arguments, mais en restant le mécréant, celui dont la souffrance avait été inutile, et cela, je ne pouvais le contredire…

– Tout va rentrer dans l'ordre, maintenant, m'sieur Georges.

Je gardais le silence à ce mensonge pieux. Tout rentrerait dans l'ordre ? Pour tous ? Et moi seul étais fou ? Pauvre Augustine… Si elle avait su comme elle m'angoissait, avec ses airs confiants en cette entité muette devant laquelle elle ployait comme sur son balai, par devoir, renoncement, fidélité insensée… Elle me rappelait ces colonnes de nus impassibles et sans lendemain, peuple qui se croyait élu, attendant la douche, ignorant les signaux de fumée et les odeurs de chairs brûlées, s'en remettant à leurs bourreaux et à Yahvé, les uns comme l'Autre, si indifférents à leur sort.

Ne pas me fâcher… Elle aussi souffrait. Surtout ne pas lui dire :

– Non, Augustine, tout ne va pas rentrer dans l'ordre, ne serait-ce que pour les milliers de personnes nues qui ont défilé chaque jour, le savon à la main, parmi lesquelles je reconnaissais votre petit-fils !

Non, surtout ne rien lui dire, puisque cela ne servirait qu'à avoir raison… Augustine, je vous aimais bien, mais votre pieuse gentillesse me consternait, car elle mesurait ma colère. Je vous savais collectionneuse de rosaires, usant les grains de prière de vos doigts tremblants. Vos réponses construites à toutes mes questions sur le mal me donnaient la nausée. Je sais : c'était injuste, mais derrière votre humilité admirable, je détectais l'outrecuidance des pieux qui déchiffrent le bien et le mal dans les messages éthérés du Très-Haut, avec cette insupportable assurance tranquille de ceux qui croient penser en pensant croire…

Augustine, vous me parliez si souvent de votre nièce Marieke, infirmière dévouée, dilapidant sa jeunesse à panser la souffrance de ce monde béant. Son courage, votre fierté me semblaient aussi illusoire qu'une lettre d'amour perdue dans l'océan. Vous vous accrochiez ainsi à quelques étoiles falotes pour oublier le noir du ciel. Et ce trompe-l'œil fortifiait le mensonge de votre foi.

En chuchotant vos prières devant ma vaisselle sale, vous ignoriez que je voyais en vous une tueuse de ces questions vitales. J'avais vu trop de simples d'esprit malheureux pour m'en remettre à ces apôtres, imams et autres rabbins exégètes autoproclamés de la parole divine. Oui, j'étais un mécréant perdu car je refusais d'entendre tous ces avatars de Dieu, messies cosmiques, *Kommandos* du bien, nous faisant l'honneur d'une descente sur la troisième planète d'un obscur système solaire, champ de bataille de toujours, autant que la lune s'en rappelle...

Pourquoi ce mal ? Qu'est ce bien ? Augustine, je refusais les vérités révélées sur les Tables ou dans les amphores de Qman. De retour de l'indicible puits sans fond où elles n'avaient pas cours, je m'autorisais le droit de refermer les empilements de codicilles bibliques comme ma porte de cuisine à vos psalmodies compassées, à vos chuchotements angéliques et à tout ce brouhaha vertueux de l'humanité confrontée au vide du ciel.

Bien sûr, contempler Augustine s'activant contre le désordre de ma maison et de mon âme, attisait ma folie. Mais j'avais choisi : je préférais ma démence et m'accordais une minute de silence éternelle pour entendre le cri primal de l'être venant à la souffrance, le dernier râle de celui qui la quitte, les barrissements de la bête aux abois, les chuchotements de haine sans courage, les éructations du national-socialisme, les vrombissements des forteresses US, les psalmodies des fanatiques métaphysiques. Les mensonges de ceux qui, parlant trop fort ou trop bas, tiraient leurs rafales victorieuses vers le ciel...

Toutes ces vibrations triomphantes du mal universel, objectif et infini.

Non, je n'allais pas bien... La lassitude diagnostiquée pas le docteur Trillion ne me laissait pas le choix : il me fallait renoncer à une quatrième rentrée.

Et puis il y avait ces vertiges... Mettre le pied dehors en plein jour constituait une épreuve que je me forçais à affronter. Le plein air me saoulait, le ciel me paniquait exactement comme si les sentinelles casquées mitraillaient encore de leur mirador spectral. Seule la nuit me rassurait, avec ses ténèbres complices de tous les fugitifs et de tous les proscrits…

Dépression et anémie, avait constaté le vieux docteur, compliquées d'agoraphobie.

La rentrée de septembre ne m'accordait pas de répit suffisant avant de retrouver le tableau noir et la poussière de craie. Bien sûr, mes élèves me manquaient mais je n'avais pas la moindre idée de la façon dont je pouvais encore assumer mon rôle au sein de l'Éducation nationale… et patriotique. L'instituteur qui tirait les oreilles des cancres avait bien été pelleté quelque part dans les charniers d'Auschwitz-Birkenau.

*

* *

Je te défie de justifier la souffrance d'un enfant…

POURQUOI ? Qui pourrait imaginer qu'à chacune de leurs apparitions, vos fantômes me taraudent le plexus, un peu à gauche en dessous du cœur. Une cicatrice toujours purulente… Je les repousse, mais ils reviennent comme une maladie honteuse.

Vous aviez seize, dix-sept ans, jumelles monozygotes aux existences dupliquées jusqu'au trépas, les yeux noirs écarquillés sur l'indicible et le non-sens. Mais vous ne pleuriez pas, immobiles, bouche close par l'incompréhension la plus absolue.

HIER, DAS IST NICHT WARUM ! Le slogan des officiers, des SS., des Kapos… Ici, il n'y a pas de pourquoi, car les questions précipitent la sentence… Alors il ne reste que les regards et la révolte de votre silence qui m'éclatent encore l'âme… J'en veux aux Allemands, j'en veux à la Pologne, j'en veux à la Terre entière… j'en veux au ciel vide.

Je suis perdu pour la légèreté, l'insouciance m'a quitté à jamais, jusqu'à ce que vous reveniez en élues pour témoigner de la vie éternelle. Si ce n'est pas vous qu'Il sauve, alors qui ?

Moi, je suis celui qui a vu le diable, le bras et l'esprit à jamais tatoués par le fer rouge de son excès.

Le mal, son excès, sa diversité, dont l'intensité sans limite rend les mots caducs et impuissants à estomper ces souvenirs poinçonnés dans le cœur, tellement embarrassants pour les badauds cartésiens qui puisent dans leur béatitude édifiée en système la force de continuer : ces foules sourdes, ces armées au pas, ces fidèles rassemblés, sottement dépourvus face à la mort, définitivement apprivoisés par la souffrance convenue, résignés et tellement obéissants face à la guerre, qu'ils osent à peine chuchoter leur désarroi dans la cathédrale glaciale de leurs illusions…

Chapitre 3

Je vivais seul. Il me fallait pourtant combattre la tentation du repli et de l'isolement. Afin de lutter contre mon agoraphobie maladive, je me rendais au Kleindorp à la nuit tombante. Pour rencontrer Jean, bien sûr, mais aussi pour ne pas m'enterrer définitivement dans une amère claustration.

Le soir du 6 août 1945, nous buvions un verre de *pain liquide* dans la tiédeur du crépuscule. Affalé dans sa chaise roulante, Jean prenait la brise dans son petit jardin. Quant à moi, j'avais prudemment installé mon siège près du pas de porte, tournant le dos au désordre de la pièce. Jean n'avait ni l'envie ni les moyens de s'offrir une femme de ménage pour donner un air *catholique* à son intérieur. L'almanach des repas de la semaine jonchait la table, l'évier débordait d'une vaisselle décourageante, et les rayonnages de la bibliothèque ployaient sous le poids considérable des ouvrages qu'il avait gardés. Quand il me disait *ça débarrasse !* en parlant des livres qu'il m'avait donnés, ce n'était pas une simple formule, il fallait bien le reconnaître…

Devant la maison, le potager s'étendait jusqu'à la route qui le séparait du champ de blé bruissant de brise estivale, propriété – parmi tant d'autres – des Richart. À moins de deux cents mètres au nord, nous apercevions les longues étables de la ferme en L du couple, écrasant la masure attenante de la vieille Émilienne. Suivant le regard figé de Jean, je distinguai l'ovale de la porte cochère close et l'alignement des fenêtres en demi-lune trouant la dépendance de briques sombres. Derrière la propriété, l'ombre moutonneuse du bois de la Becque soulignait l'horizon ; la chasse gardée des notables…

La TSF crachait ses informations nasillardes. Nous écoutâmes sans un mot le bulletin du soir. Enola Gay avait largué la première bombe atomique de l'histoire et une ville japonaise, dont nous n'avions pas encore retenu le nom, avait été rasée ; la mort, passage obligé pour la postérité…

Je n'avais même plus la force d'épiloguer. Sur quelle planète étions-nous donc nés ? En une seconde, des hommes, des femmes, des enfants, des chats, des chiens, du bétail, des plantes, des insectes, avaient été soufflés comme le vent éteint une bougie. Des centaines de milliers de vies vitrifiées par l'atome, car cette guerre ne pouvait se terminer que dans une apocalypse finale, un effroyable bouquet pyrotechnique éclaboussant ses propres vainqueurs de son ignominie…

On ne peut punir le mal, qu'au moyen du mal…[1] commenta sentencieusement Jean, les yeux fixés sur les champs mûrs, en ponctuant sa citation de son gloussement habituel. Comment avait-on pu en venir là ? Comment des hommes se réclamant de valeurs confuses avaient pu décider la mort de dizaines de milliers d'enfants ? Ceux qui

1. « On ne peut punir le mal qu'avec le mal, c'est l'origine de notre malheur. » Simon Vestdijk.

prétendaient combattre le mal pouvaient-ils revendiquer le bien à ce prix ?

Dresde, Berlin, Tokyo, maintenant Hiroshima et bientôt – nous l'ignorions encore – Nagasaki. Les populations payaient le forfait d'être nées dans le mauvais camp. Hantant nos esprits embués, les ruines fumantes parsemaient la planète comme les gigantesques empreintes de Satan sur le monde…

À la radio, la musique succéda aux informations. Le cœur au bord des larmes, j'écoutai la mélodie du chant des Partisans : *Ami, entends-tu le vol noir des corbeaux sur la plaine…*

Le vent du soir fraîchissait sensiblement, apportant peut-être quelques cendres des enfers. Quelque part, un chien hurlait. Il me vint alors cette conviction maintes fois ruminée : un crime sans coupable… La guerre était-elle vraiment une singularité où les lois morales perdaient leur vigueur, métamorphosant les tueurs en héros, leurs victimes écrasées sous leur propre multitude perdant jusqu'à la reconnaissance de leur martyr dilué par de lugubres mathématiques ?

Ami, entends-tu ces cris sourds du pays qu'on enchaîne… D'un geste brusque, j'éteignis le poste. Tendu, les mains sur les roues de son fauteuil, Jean oscillait doucement, berçant sa douleur, *l'Éthique* de Spinoza sur les genoux. Les yeux brillants derrière ses bésicles circulaires, il surveillait les alentours de son hameau transi et impassible, figé dans le silence où crépitaient quelques déflagrations lointaines de fusils de chasse que l'on n'entendait même plus. Il le rompit d'une insolence :

– Finalement, mourir sous les engins incendiaires ou sous la bombe atomique, quelle différence ? Vous avez une préférence, m'sieur Georges ?

Sans rire à sa boutade, je secouai la tête : entre Tokyo[1] et Hiroshima, il n'y avait rien à choisir…

– La différence ne tient qu'à la surprise. La bombe atomique ne laisse aucune chance. Mais celui qui reçoit ne choisit pas, répondis-je.

Jean saisit la bouteille et se resservit ; je ne fis rien pour le modérer. Il grommela :

– Alors, m'sieur Georges, si le ciel est vide, qui est coupable ?

Il fit un demi-tour de roue pour s'approcher de moi, se frotta les mains comme Pilate puis vida son verre d'un trait. Il brandit son *Éthique* :

– Spinoza a écrit : *le mal est le résultat d'une comparaison.* Autrement dit, je me morfonds sur ma chaise, simplement parce que je me souviens avoir marché ! Ah !

Il me regarda, les pupilles dilatées par les verres comme celles d'un chat dans la nuit :

– Vous par exemple, m'sieur Georges… Si vous n'aviez connu que votre camp polonais, vous vous y seriez peut-être attaché ! Spinoza et saint Thomas, même combat !

Il hésita, bafouilla. Saint Thomas lui échappait :

– Que disait-il, saint Thomas… Ah oui ! *Le mal n'est que l'absence de bien.* Encore mieux, non ! Ces gens n'ont jamais reçu une balle… Ah !

Il se resservit. Comme la lucidité de mon ami, le paysage s'était assombri. Je lui demandai doucement :

– Jean, parmi tous les livres que tu m'as donnés, par lequel commencer ? Où trouver un début de réponse ?

Il grimaça avant de prononcer d'une voix pâteuse :

– Comment le saurais-je ? Nous les étudions tous à la faculté. Il est tellement plus simple de ne pas choisir.

1. En 45, un pilonnage a détruit Tokyo ; ce bombardement « classique » a occasionné la mort de cent mille personnes. Soit plus qu'à Hiroshima ou Nagasaki par l'arme atomique.

N'en attendez pas trop… Les livres ne sont pas des mines à ciel ouvert ! Ce ne sont que des batées à pépites ! Vous y trouverez toujours plus de questions que de réponses. Mais c'est mieux comme ça… Quand le livre se termine, le dernier mot revient toujours au lecteur.

La lumière des lampes se reflétait dans ses lunettes. Il ricana trop fort :

– Mais si Platon avait eu une vision des deux mille cinq cents ans qui se préparaient, il se serait suicidé avec Socrate !

L'alcool l'excitait. Son ironie devenait sarcasme. Je répondis calmement :

– La recherche du coupable est peut-être une énigme mal posée. Le débat ne porte sans doute pas sur qui, Jean, mais sur quoi ?

À mon cœur défendant, je succombai une nouvelle fois à la tentation de la confidence :

– Spinoza a écrit : *Le mal est le résultat d'une comparaison…* Il y a peut-être du vrai, tu sais. Avant d'être affecté au laboratoire, je travaillais au *Kommando Kartoffeln*. Il fallait transporter des sacs de vingt-cinq kilos de pommes de terre en courant. Celui qui marchait était frappé, celui qui tombait était éliminé. Parfois les SS les achevaient même sur place. Un coup de pistolet à bout portant dans la tête. Certains gardes s'amusaient à tirer au fusil des miradors ou des fenêtres. Les crânes explosaient comme des pipes de foire. Nous devions alors ramasser à toute vitesse le cadavre et la cervelle répandue… Ah, il fallait voir les camarades, décharnés, exténués, hors d'haleine, courant comme des écoliers dans une récréation ! La mort aux trousses.

Je repris un instant ma respiration avant de poursuivre :

– Nous travaillions depuis plus de dix heures. J'étais arrivé au bout de mes forces. J'ai tenu… tenu, attendant le coup de sifflet signifiant la fin de la journée. Il ne venait pas. Alors, d'épuisement, je me suis écroulé sous mes pommes de terre. Incapable de me relever, le nez dans la boue, j'ai renoncé. J'entendais mes compagnons m'exhorter à me relever. Ensuite, leurs prières ont cessé et, dans un brouillard, je vis deux bottes noires s'immobiliser à quelques centimètres de mon visage... *Stehe auf!*[1] Je n'ai pu bouger, acceptant l'inévitable. Le cliquetis d'un pistolet tout près de mon oreille précéda la froideur du métal sur ma tempe. Je suis resté allongé, j'ai juste fermé les yeux pour ne pas voir la flaque où allait se répandre ma cervelle. C'est alors qu'une voix s'esclaffa : *Laß ihn, jener, zurück...*[2] puis une autre ricana : *Schwein* ![3] La tête dans la fange, j'ai regardé les deux soldats s'éloigner. L'un rangeait son arme, l'autre jacassait en riant. Je me souviens également du coup d'œil inexpressif de leur chien : pour lui, je n'existais déjà plus...

L'air me manquait et je marquai un nouveau silence. Jean écoutait en roulant son verre entre les mains. Je repris :

– Pourquoi m'ont-ils laissé la vie sauve ? Parce que je parlais allemand, hasardai-je, parce que j'avais été infirmier ? Peut-être juste pour exhiber leur pouvoir : décidant de la vie et de la mort, les dieux éructaient leur credo nihiliste : *Hier, das ist nicht warum !*[4] Alors, comment te dire combien j'ai aimé le soldat à qui je devais la vie. Je l'ai aimé comme jamais je n'ai aimé, à lui lécher les semelles de ses bottes, à devenir son esclave. Je le vois encore s'éloigner en devisant bruyamment en compagnie de celui qui voulait m'achever... ma carcasse sans

1. Relève-toi !
2. Laisse-le, celui-là...
3. Porc !
4. Ici, il n'y a pas de pourquoi.

force allongée dans la boue, reconnaissante jusqu'à l'adoration de ce supplément de goulées d'air qu'il avait bien voulu m'accorder. Oui, je l'ai aimé comme on aime un dieu…

Je terminai dans un souffle :

– Ensuite, je fus affecté au block 10… activités médicales. Au début, ce fut un soulagement : plus de sacs à porter, plus de cervelles explosées… Mais, quand je compris avoir été muté dans un laboratoire d'expérimentation, j'ai regretté les *Kartoffeln* : j'aurais préféré mourir sur le chantier. Spinoza n'a pas totalement tort : les comparaisons s'imposent toujours.

Je me tus. Les images du sinistre hôpital défilaient. Puis apparurent deux visages jumeaux…

Les carreaux lumineux de Jean me scrutaient. Silencieux, il termina la bouteille sans me servir. Contrarié d'être, une nouvelle fois, tombé dans le tragique, je conclus :

– Pour moi, la guerre n'est pas finie. Les coups de feu des chasseurs du bois de la Becque sont aussi menaçants que les tirs SS… Ils me poursuivent encore.

Mon ancien élève sourit, les yeux dans le vague, rota sans vergogne. Puis il me lança d'une voix éraillée :

– En effet, m'sieur Georges, la guerre n'est pas finie… Et j'ai quelque chose pour vous…

Poussant laborieusement sur les roues de sa chaise, il entra dans la maison, farfouilla dans le capharnaüm de sa bibliothèque et revint vers moi en butant sur les cadavres de bouteilles. Il me tendit un pistolet noir et rutilant. Son expression prit une gravité épaisse :

– Un souvenir… Voilà de quoi vaincre vos démons, m'sieur Georges… Allez !

Je refusai. Il pâlit comme si je l'avais insulté, la main inflexible. Ses yeux brillants de bière me provoquaient avec une insistance agressive. Je finis enfin par prendre l'arme en songeant qu'elle serait mieux chez moi.

On ne peut punir le mal qu'au moyen du mal..., la phrase de Jean résonnait dans la fermette. Avec dégoût, je fis disparaître le pistolet dans ma poche de pantalon et repris d'un ton détaché :

– Spinoza peut revoir sa copie quand il écrit : « *Le bien est le résultat d'une comparaison.* ». Tu vois, Jean, l'histoire humaine est remplie de ces quelques respirations dans l'horreur qui permettent aux optimistes irrécupérables de garder leur foi absurde.

Jean grimaça un sourire pathétique. Sa chaise vibra :

– Belle illustration de la phrase de Spinoza, m'sieur Georges. Enfin... de son contraire : les hommes sont d'une telle souplesse qu'ils remercient leurs tortionnaires d'accorder une fin à leur supplice ! Comme ils remercient Dieu des épreuves qu'Il leur inflige. Voilà une belle explication métaphysique de la torture : un chemin vers le Panthéon.

Il mima la crucifixion en écartant les bras. Je détournai les yeux et répondis avec lassitude :

– Maintenant, voilà l'atome ! Nous vivons à une époque qui a l'immense mérite d'avoir inventé le mal industriel... Le siècle des armes innovantes ! Les crimes n'ont même plus besoin de coupables ! L'apocalypse au bout du doigt !

Très agité, Jean bafouilla :

– Exact, m'sieur Georges ! Alors, vous savez pourquoi Dieu est mort au XXe siècle ?.... Hein ?.... Il n'a pas survécu à Nietzsche... ni aux deux guerres mondiales...

Son visage se crispa, son regard se détourna et se braqua au loin sur la grande ferme des Richart. Nous vîmes une longue silhouette pressée traverser la cour. J'identifiai Marcelle à son éternel fichu qui lui dessinait une aigrette d'oiseau. Elle s'attarda quelques secondes à caresser son chien en fête. Puis elle ouvrit la lourde porte avant de disparaître dans l'obscurité de son étable.

Derrière moi, l'horloge égraina ses vingt et un coups. La voix de Jean siffla :

– Six heures le matin, neuf heures le soir ! À croire qu'elle est mue par sa pendule… Elle jaillit de sa maison à pas pressés comme un coucou. Pendant une demi-heure, elle trait ses vaches, nourrit ses cochons… Ce n'est pas une femme, c'est un automate !

Automate… Je restai silencieux, à me demander si nous n'étions pas tous les rouages dociles animés par une machine monstrueuse. Le visage de Jean s'était durci d'un masque que je ne lui connaissais pas. Je m'étonnai :

– Elles ne sortent jamais, ses vaches ? C'est pourtant la saison des prés…

– Ah ! s'exclama Jean. Ils ont bien trop peur des maraudages ! Vous savez, m'sieur Georges, depuis l'Occupation, ici, c'est comme au *far-west…* Les gens ont tellement faim qu'à la nuit tombée, ils vont voler des steaks dans les champs ! Les Richart ont peur pour leurs vaches !

Je pensai aux commentaires d'Yvonne à propos des abattoirs clandestins et changeai de sujet pour enrayer un début de nausée :

– Elle vient toujours elle-même encaisser son loyer ?

Jean ricana. Son haleine empestait l'alcool :

– Elle venait… rectifia-t-il. La mégère devient dingue dès qu'il s'agit d'argent, je vous dis ! Jusqu'à l'accident, elle passait chaque fin de mois ! Et à la première heure, comme si elle avait faim ! Je lui disais ne pas avoir encore touché ma bourse. Elle repassait chaque jour jusqu'à ce que je puisse payer… Jamais une parole aimable ; elle faisait irruption ici en terrain conquis, elle m'apostrophait comme si elle parlait à son chien. Non… cette harpie est gentille avec son chien !

Jean fronça les sourcils :

– Mais depuis mon accident, elle ne vient plus... Je suppose que cela la gêne. À moins qu'elle n'attende les décrets sur la pension des invalides de guerre !

Je détournai les yeux de son corps cassé, tellement désolé pour lui. Tous ces penseurs, ces théoriciens, savaient-ils de quoi ils parlaient ? Le mal s'expérimente... Les discours valent pour les plus chanceux ; pour les autres, il n'y a qu'un *grand cri*...

Désormais, la nuit enveloppait la campagne. Nous ne voyions plus que des lumières falotes dans la cour des Richart, occultées épisodiquement par l'ombre de sa propriétaire : Marcelle œuvrait dans l'obscurité de son étable. J'enviai un instant sa subordination pragmatique au monde. Heureux les simples d'esprit car ils ne verront jamais le diable.

Nous restâmes muets, tout à notre méditation contemplative. Parfois, la tête de Jean plongeait pour reprendre instantanément son observation. Au bout d'une demi-heure, comme il l'avait prédit, la fermière sortit de l'étable, referma sa porte. Puis la silhouette franchit une nouvelle fois la cour, saluée par son molosse. Les aboiements traversèrent la campagne silencieuse. Elle disparut dans l'aile de sa maison tandis que le chien retournait à sa niche.

Jean fit volte-face et se tourna vers moi. Je m'interrogeai : pourquoi restait-il ici, à ressasser ses haines en tentant de régler des comptes inextricables avec son passé ? Mon élève avait grandi selon les principes catholiques incontournables. Tous les actes de sa vie avaient gravité autour de la foi judéo-chrétienne exactement comme les rues du village s'agençaient autour de l'église Saint-Éloi. Jusqu'à ce mariage avec Gisèle préparé pieusement...

Aujourd'hui, dans sa fougue d'homme foudroyé, Jean s'employait à renverser ces valeurs traîtresses. Cela nous rapprochait encore…

Oui, et Dieu ? Que pouvait-il rester de cette idéologie fantasque rendant grâce à un Créateur miséricordieux, responsable, dès lors, de tant de douleurs ? Les penseurs avaient pratiqué de grands écarts philosophiques pour résoudre cette difficulté qui ôtait toute possibilité de lecture de l'univers. Ils avaient dépensé des trésors d'ingéniosité : un péché originel pour accabler l'homme et dédouaner son Architecte – *le meilleur des mondes possibles* – ou encore, cette merveille de la philosophie spinozienne réduisant le mal au résultat d'une comparaison…

Jean manœuvra sa chaise et remplit les verres. Je le regardai s'agripper à ses roues comme un cul-de-jatte. Un souvenir d'une vie lointaine me revint :

– Un jour, j'ai proposé à ta classe de raconter une bêtise, un écart de conduite. Une faute commise ou imaginée, peu importe. L'essentiel n'était pas de savoir quel était le coupable mais quel méfait vous alliez choisir.

Jean fit une moue signifiant qu'il ne s'en souvenait pas.

– Tous tes copains ont raconté une désobéissance, un mensonge, une tricherie, un devoir non fait… Tu es le seul à avoir imaginé une faute non punissable : tu avais brûlé des fourmis avec une loupe. Il ne s'agissait pas d'une insubordination. Tu avais choisi un péché non inscrit par une autorité…

Il rompit son silence d'une voix pâteuse :

– Alors, pour vous, c'est ça ? Les hommes sont incapables d'une interprétation personnelle du bien et du mal ? Ils sont trop paresseux pour concevoir une éthique, et se contentent d'une morale dictée ? Et vous pensez qu'ils ont inventé Dieu pour légitimer leur loi par une autorité suprême ? Il faut bien que la souffrance soit une punition pour qu'elle ait un sens…

– Oui, répondis-je. Ils ont tous besoin d'un père, quitte à être punis.

Mais que faisait Jean ici ? me demandai-je encore. À s'enterrer dans un petit monde étroit hérissé de certitudes ; à ruminer une vie cassée à loyer dérisoire. Sa place était à la Sorbonne, à interpeller le monde, à rire, à pleurer avec des jeunes gens libres, et non dans ce village labouré par l'ennui.

– Vous-même, m'sieur Georges, n'aviez pas d'autre discours, à l'époque ! Vous disiez toujours que c'était pour notre bien ! Pour notre avenir ! Même les punitions ! Vous n'iriez pas me prétendre le contraire, hein ! Vous pensiez que la souffrance était le moteur du progrès, une sorte d'aiguillon qui empêche l'être humain de s'endormir comme un âne paresseux…

Je soupirai :

– Le progrès ! La belle affaire, je n'y crois plus ! Une sorte de théodicée sans dieu… Le nouveau fantasme moderne : un autre Au-delà, tourné vers le futur celui-là…

Sa chaise oscillait toujours. À ses pieds, les cadavres de nos bouteilles traînaient dans la terre. Je rétorquai :

– L'âne ne travaille pas pour lui… L'aiguillon est rarement tenu par celui qui est piqué.

Jean réfléchit un instant. Puis il exhiba ses dents dans un sourire glacial :

– Très juste, m'sieur Georges… mais parfois l'âne se rebiffe !

Je l'abandonnai à ses révoltes éthyliques. Je pris congé de lui et m'enfonçai dans la nuit noire en songeant qu'il lui fallait toujours avoir le dernier mot. La froideur du métal de l'arme battant sur ma cuisse attisait la confusion de mes sentiments.

*
* *

Lire, écrire. Parvenir à retrouver un peu d'ordre dans le chaos des idées et la confusion de mon âme, pour tenter une lecture rationnelle de ces années sombres.

Comprendre, je vous ai promis… Par quoi commencer ? Les hurlements d'un nouveau-né, la tête inclinée d'un vieillard, les éructations d'une jeunesse ivre de puissance… Le mal est aisé, il y en a une infinité, le bien est presque unique, soupirait Pascal. Le mal… Non point une singularité, mais bien une évidence prête à jaillir pour nous éclabousser de ses excès, de ses privations, de ses souffrances, de ses haines. Une hydre transformiste tellement multiple dans ses natures, tellement démesurée et excessive dans ses manifestations, qu'il ne faut pas s'étonner de la tentation métaphysique à diviniser cette force devant laquelle tout paradis semble bien modeste.

Comprendre… Oui… Je regarde tous ces ouvrages de penseurs attachés à expliquer l'économie du monde. Que savaient-ils du mal dans la chaleur de leur bibliothèque, sous la protection des moellons de leur église ou de leur synagogue ?

Bien sûr, pouvaient-ils imaginer qu'un jour on inventerait les mots génocide et bombe atomique, gazant toutes ces théories cohérentes dans un autodafé crépusculaire ?

Platon, Épicure, chrétiens, athées, sceptiques, cyniques… Les rires et les sanglots d'une délibération sans fin de cent vingt-huit livres : Jean n'avait pas cherché la sélection. Dans sa générosité, il s'était retranché derrière la neutralité du libraire. Je ne lui donnais pas tort : il n'y a pas d'enseignement impartial. Mais l'abondance me paraissait bien suspecte : tous ces efforts inlassables ne cachaient-ils pas leur échec ? Pourtant, il fallait m'y jeter à corps perdu, comme on entre dans une forêt, sans souci d'itinéraire, sachant que l'important n'était pas ce qui s'y trouvait, mais bien ce que j'y découvrirai.

Et je l'avais promis à vos deux cadavres jumeaux.

Chapitre 4

Tamisés par un persistant sentiment d'insécurité, cadencés de nuits consolatrices, les jours d'été se succédaient. Ma phobie de la lumière et de l'espace résistait aux sorties thérapeutiques que je m'imposais entre chiens et loups. Sous le soleil radieux de Flandre, j'éprouvais un paradoxal sentiment de captivité et cette existence clignotante menaçait ce qui restait de ma raison.

Pourtant mon corps récupérait lentement. Et, à la mi-août, je réussis à marcher sans cannes. Mon estomac parvint modérément à assimiler la cuisine riche et rustique du terroir. Surveillée par les encouragements vigilants d'Yvonne, ma silhouette s'étoffa.

Les longues journées s'écoulaient, conformes les unes aux autres, entre lecture et écriture face au mur de livres. Un matin sur deux, Augustine venait mettre de l'ordre dans mon antre. Le soir, avec la complicité du crépuscule, j'accompagnais Jean dans ses beuveries vespérales et consolatrices, en abattant les derniers pans de ce triste monde.

Certains midis, je recevais les visites d'Hervé. Avec lui, les discussions n'avaient rien de philosophique. Engoncé dans son uniforme de sous-officier, il s'attablait dos à la cuisinière. Il partageait ma soupe claire, en sollicitant de son vieil instituteur quelques conseils pour régler tous ces conflits dont le petit monde rural ne saurait se passer (à croire qu'il trouve dans ses discordes le moyen d'échapper à son vide existentiel). Cela avait le mérite de me distraire.

Nous étions le 16 août. À son tour, une autre ville japonaise avait été rayée de la carte et l'Empire du Soleil Levant venait de capituler. La veille à l'église, le village avait célébré le mystérieux anniversaire de la Sainte Vierge et rendu grâce de la fin du conflit. *Heureux les héros de cette guerre car ils verront Dieu !* Pour que la fête fût complète, mes villageois avaient assisté à quelques combats clandestins de coqs.

Parfois, dans les greniers des blocks, les SS organisaient des combats de Juifs...

Je m'étais abstenu.

La matinée était radieuse et je fis l'effort de prendre mon déjeuner assis au milieu de mon jardinet à l'ombre des troènes, dans le charivari insouciant des passereaux. Hervé s'encadra dans l'embrasure de la porte, silhouette trapue surmontée d'un képi trop petit :

– Bonjour, Hervé. Entre !

C'était une invitation superflue puisque, depuis toujours, ma maison restait aussi ouverte qu'un moulin (au grand dam d'Augustine). Je n'avais jamais opté pour le cerbère obligé des cours de ferme. Avant la guerre, les enfants allaient et venaient chez moi comme dans une annexe de la cour de récréation.

– Bonjour, m'sieur Georges ! Comment allez-vous aujourd'hui ?

Le ton était piteux. Je regardai sa mine ronde et déconfite :

– J'ai l'impression que c'est à toi qu'il faut poser la question. Je me trompe ? Café ?

Il souffla en roulant des yeux :

– Merci m'sieur Georges ! C'est pas évident… Rien de grave, enfin… Juste embêtant. La Richarde et Albert ont déposé plainte… Enfin, surtout la Richarde : le vieux Noël l'aurait traitée de « vache » quand elle est venue lui réclamer son loyer.

– Vache ?

En d'autres temps, l'incident m'aurait amusé. Il souffla :

– Oui… Vache, m'sieur Georges… C'est ce qu'il a dit…

– Cela ne paraît effectivement pas bien grave, Hervé ! *Vache* n'est pas méchant. Combien d'élèves ont pu se dire que j'étais vache !

Les joues d'Hervé se mouchetèrent de rose violacé :

– Oui… Enfin non, m'sieur Georges. La phrase exacte de Noël est : *Vous ne valez pas une seule de vos vaches !* Et m'sieur le maire insiste pour que le Parquet donne suite… Vous voyez : c'est pas évident…

– Au Parquet ! Pour une boutade ? Vaches ? Mais le juge en a d'autres à fouetter, tu ne crois pas ?

– Oui…

Petit oui sans conviction. Ce matin, Hervé semblait inaccessible au bon sens :

– … Oui, m'sieur Georges, mais, du coup, elle l'a menacé de revenir avec son chien pour l'expulser… Et vous savez ce qu'il a répondu, le vieux Noël ? Il a répondu qu'il l'empaillerait ! Alors elle lui a dit qu'il pouvait commencer à ranger ses affaires… et Noël a tiré quand elle lui a tourné le dos…

Je le regardai, interdit. Il secoua la tête :

– Oh, il a un simple fusil de chasse. Et vous connaissez Noël, il ne l'a certainement pas visée. Mais évidemment, elle avait le dos tourné.

– Ah ! Noël a tiré dans le dos de la Richarde ! Tu dis tout au compte-gouttes, Hervé !

Il gémit :

– Le pauvre vieux jure avoir tiré en l'air, pour lui faire peur ! Mais elle a déposé plainte pour tentative d'assassinat ! Il a fallu que ça tombe sur moi !

Le coup de feu dépassait le cadre d'une querelle de village. Marcelle était influente…

– Hervé… Tu me fais confiance, alors crois-en mon expérience de vieil instituteur : les ennuis viennent toujours des mêmes et tombent toujours sur les mêmes… C'est ainsi.

Le jeune gendarme protesta :

– Mais Noël a une retraite de misère, il a juste de quoi se nourrir ! Et elle veut l'expulser ! Comme si cette mégère ne pouvait pas se passer de ces quelques francs de loyer !

Marcelle… La mégère… Hervé se laissait aller à un parti pris bien peu professionnel. Mais tout de même, quelle chose étrange, la totale indifférence de cette femme à l'opinion des autres : harceler un pauvre bougre qui parlait tout seul, un solitaire entouré d'animaux pétrifiés… Voulait-elle se suicider dans la haine de ses concitoyens ? Sa philosophie de l'existence se limitait-elle à celle de son chien de combat, où tout sentiment n'était qu'enfantillage et strictement circonscrit au périmètre de sa cour de ferme ?

L'amour de l'argent conduisait-il à la folie ? Où tout cela allait-elle la mener ? Je me posais la question comme ça, par simple jeu intellectuel, en acceptant cette diversion à mes propres tourments, mais sans la moindre intuition du drame qui se tramait. Je hasardai :

– Laisse décider le Parquet… Tu diras un petit mot au juge… Évidemment, le maire et la Richarde vont peser…

En débitant mon conseil *raisonnable,* je réalisai combien le courage faisait défaut à Hervé. La raison n'est-elle qu'une perpétuelle allégeance à la réalité ? L'Histoire n'est-elle pas faite de tous ces renoncements laissant le champ libre aux tyrannies petites ou grandes et à leur cortège de lâchetés ? La puissance du tyran réside dans les complicités qu'il suscite. Je pensai au vieux Noël terrassé par la guerre, puis par cette vieillesse fâchée et discoureuse, impuissante de pauvreté devant la loi de « la Richarde »... Je songeai à Jean, cloué sur son fauteuil, maudissant son infirmité qui l'empêchait de se dresser une bonne fois contre la muflerie de sa propriétaire...

Ma vieille fibre politique se mit alors à vibrer et je pris une décision, sans y réfléchir davantage :

– Bon. Je vais aller lui parler... Si elle abandonne sa plainte, je lui propose un arrangement. Elle m'écoutera peut-être.

Mon ton devait manquer de conviction. Hervé leva vers moi une bouille ronde empreinte de soulagement et de scepticisme. J'ajoutai pour le rassurer sur mon passage à l'acte :

– Oui, je vais même aller la voir aujourd'hui.

Je lus dans son regard l'image de mon propre déclin. Ainsi, mes anciens élèves eux-mêmes me pensaient fini... Bien sûr, mon discours mal assuré reflétait mes propres doutes, mes anxiétés du jour, mon angoisse de la lumière, ma phobie de l'espace. S'ils apprenaient ma douleur de l'anodin, les gens me croiraient fou : qu'un enfant ait peur de la nuit, passe encore, mais que penser d'un homme craignant le jour ?

C'était une démarche sans illusion, propre à me donner bonne conscience envers ces gens. Hervé finit son café d'un air préoccupé, remercia et partit rapidement. Il venait à peine de disparaître que je l'appelai à tue-tête :

– Hervé, ton képi !

Il revint en bredouillant une excuse comme au temps où je lui faisais la leçon : « Hervé ! Un jour tu oublieras ta tête… »

Je n'exécutai ma promesse que le lendemain matin, après une courte nuit peuplée d'échos sinistres.

Je me levai avant l'aurore. Je pris la route au lever du soleil. Chaque pas me coûtait. Le regard fixé sur le pavé, je m'efforçais de faire abstraction du ciel et de cette lumière blessante qui emplissait rapidement l'horizon. Je me concentrais sur les ornières du chemin. Le vent de la plaine soufflant d'ouest me coupait la respiration. Il me ramenait du bois de la Becque quelques détonations incertaines et les râles imaginaires du gibier promis au four… La conscience flageolante, le pas zigzaguant, courbé, la tête dans les épaules comme une cible terrifiée, j'approchais de mon but.

Au cours de mon cheminement laborieux vers le Kleindorp, je prenais la mesure de mon échec d'enseignant. Hervé, tête de linotte et maintenant gardien de l'ordre ! Avec quelle naïveté j'avais cru élever les petits, quand il s'agissait de les formater pour leur grande immersion dans la férocité du monde, en les préparant à l'uniforme. Quel aveuglement de ne pas avoir compris auparavant l'antinomie couverte par l'hypocrisie des discours. Pas éducateur, juste instructeur…

Je parvins à hauteur de la chapelle des Sept Douleurs. Deux marronniers noueux flanquaient la construction de briques blanches. Avec le temps, l'ensemble s'était intégré de telle sorte que personne n'aurait pu dire si la chapelle avait été construite entre les deux arbres ou si au contraire les plantations étaient postérieures. Je soufflai quelques minutes, appuyé contre le bâtiment isolé. Face à moi, la grisaille de l'horizon estompait la vague des monts. Reprenant ma route, je dépassai la fermette de Jean, tout en me promettant de lui rendre visite au retour. J'empruntai le chemin vicinal menant au bois de la Becque dont je voyais la lisière derrière la propriété de Marcelle et d'Albert. Obsessionnel, le couplet des Partisans me tournait la tête :

Ami, entends-tu le vol noir des corbeaux sur la plaine…

Les blés soupiraient au vent bruissant attisant mes vertiges. Ces deux cents mètres accidentés m'épuisaient. L'horizon m'appelait comme le vide attire celui qu'il terrorise. Alors, c'était ainsi ? J'étais condamné à n'être bien nulle part, la Terre n'était plus pour moi qu'un espace hostile comme l'infini qui effrayait tant Pascal.

La haine à nos trousses et la faim qui nous pousse, la misère…

Mais qui donc me poursuivait ? Quel démon me poussait à trébucher sur les touffes de ce chemin, à glisser sur sa terre humide de la nuit ?

J'atteignis enfin le flanc du grand corps de ferme des Richart.

La façade de briques était trouée de fenêtres parcimonieuses. Je frappai vigoureusement. Pas de réponse. J'ouvris et entrai dans la salle commune. L'atmosphère y était surchauffée par un grand feu de cheminée face à l'entrée. Un fauteuil à sel lui faisait face. Une dizaine d'assiettes s'alignaient sur son linteau. Les murs de la pièce étaient encombrés d'ustensiles en cuivre et de trophées de chasse. Le buffet vitré à corniche galbée regorgeait de bibelots rangés au millimètre. Au fond, le coin évier avec sa pompe à eau. Sur la table paysanne, de la vaisselle rutilante avait été soigneusement disposée. Une horloge ancienne au bois patiné cliquetait doucement. L'ensemble respirait l'ordre et la propreté tatillonne.

Je sortis. Il devait être environ sept heures. Me souvenant de la remarque de Jean sur la rigueur chronométrique des activités de Marcelle, je contournai l'habitation et pénétrai prudemment dans la grande cour. La porte de l'étable était grande ouverte.

Excepté mon souffle court, tout semblait calme. Du coin de l'œil, je remarquai le rideau légèrement écarté à la fenêtre d'Émilienne, dévoilant son immuable ombre sentinelle. *Elle traite mieux ses vaches que les gens !* Derrière moi, depuis son jardinet, Jean plissait probablement des yeux étonnés... Ceux qui n'ont jamais vécu dans un village ne peuvent réaliser la surveillance exercée par tout à chacun : le crime parfait y est impossible...

J'ignorai l'avertissement rouillé de lettres capitales : CHIEN MÉCHANT. Au moment où je posais le premier pied dans la cour, le berger jaillit de sa niche en aboyant furieusement. Je battis en retraite. Aussitôt, la propriétaire des lieux sortit de la grange, un seau à la main, glapissant un ordre qui fit taire son molosse :

– Roste[1] ! Suffit !

Je reculai encore d'un pas. Nous nous observâmes en silence : moi, oubliant jusqu'à la raison de ma présence, le malinois roux, arc-bouté au bout de sa chaîne, et Marcelle me fixant de ses yeux étonnés. La fermière portait une vilaine blouse constellée de grandes fleurs mauves. Sous le menton, le nœud de son fichu rouge vif, serré à la défigurer, pendait en deux cornes bizarres. Elle me dévisagea avec une expression revêche qui ne devait rien à celle de son chien. Il y a des lieux communs auxquels on n'échappe pas...

– Tiens, m'sieur Georges... C'est pourquoi, à ct'heure ? dit-elle enfin.

Le ton était sarcastique, condescendant. La muflerie de la femme me désemparait. Par où commencer ? La respiration laborieuse, l'esprit saoulé de vent, les jambes

1. Roste : roux, en flamand.

lasses, je compris que mon ascendant d'instituteur du village n'était plus qu'un souvenir.

– Je venais vous parler de Noël, répondis-je en forçant la voix avec une impression pénible d'impuissance : mes arguments auraient autant de poids sur le chien que sur sa maîtresse.

– Noël ? Et quoi ? lança-t-elle en écartant le fichu de son oreille.

Sous la tension du tissu, son visage prit une asymétrie caricaturale. J'hésitai. Je m'étais attendu bien naïvement à m'asseoir devant elle et à développer mes arguments. Mais là, debout sous ce ciel qui me pesait, au milieu de cette plaine peuplée de corneilles noires, au bord de cette cour hostile, mon discours me restait bloqué au fond de la gorge. Je débutai enfin un pitoyable plaidoyer :

– Noël est un pauvre bougre...

Elle ne me laissa pas finir :

– Eh ! Est-ce que cela vous r'garde, monsieur l'instituteur ? Toujours à vous donner le beau rôle, hein ! D'abord les bons à rien ! V'là-ti que vous défendez les assassins, maintenant...

– Mais Noël n'est pas un assassin, voyons...

– C'est un mauvais payeur et un assassin ! Dites que je mens. Vous venez chez moi pour m'insulter ! Vous allez me tirer dessus aussi ? Rentrez chez vous, sinon vous vous expliquerez avec le chien !

– Pour l'argent, je voudrais vous proposer...

Elle me tourna le dos et les fleurs mauves disparurent dans l'étable. Déjà, sa silhouette grêle avait rejoint les ballots de paille dans le bruit métallique de ses ustensiles, et je restai là, planté devant le molosse menaçant, avec ce sentiment brisé de ne plus être qu'un vieillard perclus. L'entretien était terminé et ma proposition financière abandonnée sur le pavé de la cour au malinois, les oreilles baissées, les canines découvertes et les yeux injectés...

Marcelle s'activait parmi ses vaches invisibles. J'entrevis fugitivement le visage rond d'Albert à l'une des fenêtres de l'habitation.

Il me fallait partir… Depuis longtemps, l'héroïsme avait déserté mes fantasmes. La bravoure ne triomphait de rien. J'avais pleuré avec trop de gens abandonnés comme des tout-petits après avoir épuisé tous leurs courages. Las et impuissant, je me repliai sans gloire chez Émilienne qui n'avait sans doute rien perdu du spectacle.

La masure d'Émilienne se réduisait à une pièce sombre encombrée de bibelots d'un autre âge, de poupées amputées, de bouquets de fleurs séchées presque désagrégées et de quelques souvenirs macabres comme ce chat noir et blanc empaillé par Noël, le poil hérissé, le dos rond, la queue dressée et la gueule belliqueuse. *Elle ne se laisse pas faire, ma Minette…*

La vieille me reçut avec une cerise à l'eau-de-vie. Pour me soulager, je lui racontai l'histoire de Noël et mon intervention ratée pour calmer les esprits. Comme tous les vieux, je soupirai aux temps anciens :

– Ah, Émilienne ! C'est bien fini l'époque où nous réglions nos affaires entre nous au village. Maintenant, on appelle les forces de l'ordre pour un oui ou pour un non ! C'est sans doute l'énergie qui me fait défaut. Je manque d'air au bout de deux phrases et la marche m'épuise en quelques minutes. Comment voulez-vous qu'on me respecte encore ?

L'octogénaire hocha la tête :

– Vous inquiétez pas, m'sieur Georges… Aussi bien, elle respecte personne ! Buvez donc !

La cerise piquante me revigora un peu :

– Elle lâcherait son chien, vous croyez ?

Émilienne se mit à ricaner.

– Roste ? Mais bien sûr !

Elle prit à témoin son chat naturalisé d'un air de connivence :

– Hein, ma Minette ! Mais nous, on ne se laisse pas faire !

Émilienne ne riait pas souvent.

– Telle maîtresse, tel chien… Après tout, c'est un berger allemand ! Ah ! Il faudrait les abattre tous les deux !

Je m'abstins de lui faire remarquer que l'assassin de son chat était un berger belge. Cela ne changeait pas grand-chose et sa boutade acide réactiva mes vieilles douleurs. Sans que la vieille femme le soupçonne, sa sentence me transporta instantanément dans la cour du block 11 au milieu des condamnés de la Gestapo de Katowice. Les gens qui n'ont jamais ramassé une cervelle éclatée ne savent pas de quoi ils parlent.

Émilienne gloussa devant mon air déconfit. Elle farfouilla dans le capharnaüm de son bahut de bois clair et me présenta d'une main vacillant avec amplitude une boîte à gâteaux métallique remplie de *strijntes*[1] du Nouvel An. Je grignotai une gaufre au goût rance.

Je passai ainsi le reste de la journée chez Émilienne à évoquer de vieux souvenirs : nous passâmes en revue ces années scolaires peuplées de garnements poussés trop vite, célébrant le temps des convictions intactes et l'illusion d'une planète supportable.

La vieille avait pris sur ses genoux la chatte empaillée. Ses rancœurs avaient trouvé leur interlocuteur, et moi, j'attendais la fin du jour.

Émilienne n'avait pas encore relaté la moitié de sa vie que le soleil déclinait déjà. Après le repas, nous avions

1. Gaufres sèches à la cassonade confectionnée pendant les fêtes de fin d'année.

fini les gaufres. Doucement, la pénombre gagnait l'intérieur de la masure bien avant la campagne encore illuminée de grenat d'occident.

Mais Émilienne n'allumait pas, elle restait dans l'obscurité, à sa fenêtre, le menton marmonnant de souvenirs et la main vibrant d'impuissance. Elle m'oubliait dans le noir de sa vieillesse habitée de commémorations.

Je n'y avais plus ma place. Je refermai doucement la boîte vide de *strijntes* et la remisai dans le bahut. Je laissai la vieille femme dans la nuit, en compagnie de son chat mort. Elle n'entendit pas mon au revoir ni le cliquetis que fit la porte en se refermant doucement.

Déprimé, je longeai la cour des Richart. À l'intérieur de l'étable fermée, j'entendis le souffle des vaches, les grognements des porcs. Roste gronda à mon passage. Les jambes molles et l'esprit pâteux, je me dirigeai lentement chez Jean, espérant une bière pour emporter le goût des gaufres et noyer mon abattement.

Ami, entends-tu...

*

* *

Je suis tellement en colère. Je regarde ces doctes livres comme on contemple une montagne érigée par ces auteurs prétendant avoir gravi les derniers barreaux de la pensée humaine. Ils ressassent leurs mots, alignent leurs phrases, accumulent leurs pages, comme si leurs incantations intellectuelles éloignaient les menaces démoniaques de la bête.

Les Grecs, les Orientaux, les Lumières... Et ce mathématicien suisse qui voyait dans le mal les petites imperfections d'une création optimisée.

Bien sûr, le constat du mal objectif mettait en échec toutes les théodicées, religieuses ou profanes : ces stratégies, nous expliquant que nous vivions dans le meilleur monde possible, juste altéré d'un peu de mal, faisaient long feu. Le mal ? Une illusion d'hommes insatisfaits ?

Ce siècle a balafré d'un « Hors Sujet ! » à l'encre rouge, ces arguties avançant la nécessité du mal, appelé à reléguer le monde ici-bas à un statut d'antichambre du paradis, avec la souffrance comme ticket d'entrée.

Je refuse ces théories révoltantes visant à imposer un dieu tout puissant, créateur d'un monde idéal où la souffrance ne serait qu'un pis-aller. Je préfère encore l'hypothèse de forces du mal, sataniques et victorieuses, corruptrices d'une création parfaite. Au moins, le dualisme a le mérite de ne pas nier la souffrance objective.

Non, les lectures de tous ces philosophes qui mettent leur dialectique au service de leur foi ne m'apaisent pas. Elles passent sous silence l'évidence de la souffrance : une réalité incommensurable, d'une amplitude sans limite… et parfaitement inutile.

Et mon aigreur étend mon ressentiment aux habitants de mon village, tous rassemblés sur la place de la Victoire pour me convaincre que les cendres des bambins de Birkenau ou d'Hiroshima s'étaient dissipées au vent du triomphe et servaient encore le caractère impénétrable des voies du Seigneur… Sans égard pour Voltaire. Ni pour vos regards d'enfants qui hurlaient.

Chapitre 5

Un automne précoce de cumulonimbus souffla bien vite un air de rentrée sur le village. Portant le deuil de l'été, la plaine s'éteignit en ces gris nuancés que reproduisaient les peintres de l'âge d'or flamand.

La communauté retrouvait sa torpeur d'avant-guerre, exactement comme si rien ne s'était passé. C'était faux, mais avec Jean, je semblais bien être le seul à le savoir.

J'avais observé sans regret mon jeune remplaçant prendre le relais de l'éducation des petits Neu-Capellois. Les élèves ânonneraient les couplets des glorieuses épopées napoléoniennes. Ils calligraphieraient les tirades sur la mégalomanie sanguinaire du Führer. Ils réciteraient l'héroïsme du colonel Tibbets, l'homme au sourire photogénique capable de calciner cent mille Japonais d'un coup de bouton-poussoir.

En proie à des sentiments contradictoires, j'entendais de chez moi la rumeur suraiguë caractéristique des récréations : les exclamations ressemblaient à des hurlements, les jeux à des combats. La cour de l'école retentissait d'une clameur de champ de bataille.

Mon esprit nauséeux à toutes ces questions hors programme s'entêtait à trouver un sens à cela, tout en s'interrogeant : mon obsession n'était-elle pas aussi absurde que le reste ?

Malgré les fraîches aurores d'octobre et les menaces de son ciel chargé, je maintenais vaille que vaille mes courtes promenades matinales dans la solitude du point du jour.

Mon invariable parcours empruntait la place de la Victoire, contournait l'estaminet de René face à l'église pour gagner les frontières du village au milieu des champs plats de la plaine de Flandre. Là, le paysage semblait écrasé, circonscrit dans un univers à deux dimensions, son horizon ondulait à peine de quelques monts lointains. Un espace plat comme la mer où les pas se succédaient sans surprise... La moisson était terminée et le vent d'automne soufflait, soutenu par les grands espaces. Là, cinq ans auparavant, les Panzers avaient déferlé... Trente ans plus tôt, la Grande Guerre y avait essaimé les graines qui fleuriront longtemps en bouquets de shrapnels.

Je claudiquais avec lenteur sur les chemins humides de rosée, les jambes lasses et l'esprit athée, tout à Épicure et à *l'indifférence des dieux à l'égard du monde.*

La chapelle des Sept Douleurs et ses deux sentinelles végétales... Sur la route du Kleindorp, un vertige inexorable s'empara de moi. La campagne se mit à tourner comme un manège. Interdit, je croisais des villageois qui vaquaient, la tête dans la glaise, sans conscience apparente de leur vie éphémère, si mal accrochée à cette planète fiévreuse.

Étaient-ils fous ? Ils seraient des millions à me renvoyer ma question. Que pèsent les états d'âme d'un homme au psychisme fluctuant, face à la normalité indiscutable scellée par la multitude ?

Quand le vertige devenait nausée, je faisais demi-tour. Face à moi, le village semblait désert, abandonné. Il ressemblait à un îlot perdu avec ses toits de tuiles groupés frileusement autour du clocher, comme des âmes glacées cherchant la chaleur de l'Esprit Saint.

Je les aperçus au cours d'une de ces pérégrinations moroses : deux tractions noires et une camionnette stationnaient devant la maison de Noël. Quelques silhouettes bleutées s'agitaient, parmi lesquelles il me sembla reconnaître l'allure athlétique et massive d'Hervé, surmontée de son képi ridicule. Tout alla très vite sans me laisser le temps d'une initiative. Je distinguai fugitivement Noël à sa porte. Poussé sur sa chaise, il disparut dans un des véhicules.

C'était fini... Ainsi le vieux Noël avait été expulsé dans le mutisme complice du petit matin. On l'emmenait dans un quelconque mouroir réservé à ceux que la guerre avait épargnés et sa ménagerie de paille était promise à la décharge. Déporté pour quelques sous, au nom des intérêts économiques défendus avec tant de zèle par le pouvoir. Hervé, bonhomme et chagriné, prêtait pourtant main-forte à cette forfaiture, le cœur escamoté et le doigt sur la couture du pantalon...

Noël avait échappé à l'arrestation, sans doute grâce à son passé de Poilu. Apparemment, le Parquet traînaillait à donner une suite à cette action judiciaire absurde. Néanmoins, la procédure civile suivait son cours et seule la clémence de Marcelle éviterait l'expulsion du vieux bougre. Autant attendre une intervention divine...

Je pestai tout seul dans le croassement des corneilles. « Heureux les simples d'esprit ! » avait scandé le Nazaréen, défendant la vertu de la simplicité intellectuelle. Hélas, le mal ne saurait se limiter à une œuvre mentale ciselée par l'esprit malin. Banalisation industrielle et souffrance, il m'apparaissait davantage comme un scandale trivial façonné à la chaîne par des millions de gens ordinaires prêts à devenir le bras armé de n'importe qui, rouage de n'importe quoi, sans autre vice que leur docilité : le rejeton de la bêtise.

Mon dégoût se panachait d'étonnement : comment Marcelle et Albert avaient pu en arriver là ? Loin d'estimer l'acte d'expulsion d'un infirme de guerre hors de portée, le bénéfice qu'ils en tiraient me paraissait bien dérisoire : quelques francs par mois pour les propriétaires de la moitié de la commune.

Écœuré, furieux contre Hervé, je passai chez Jean malgré l'heure matinale. Je le trouvai à sa fenêtre à prendre le frais en contemplant la campagne, l'œil encore clair et le verbe assez précis. Je lui expliquai ce que j'avais vu et ce que je comptais faire :

– Je ne comprends pas. Je ne croyais pas Hervé capable d'expulser le pauvre Noël. Il avait l'air si ennuyé ! Un grand-père de son propre village !

Jean eut un sourire sardonique :

– Ah ! m'sieur Georges, on dirait qu'il vous reste encore un peu d'optimisme ! Noël, ils l'empailleraient avec sa ménagerie s'ils le pouvaient ! Hervé, je le respecte. Mais il fait partie de tous ces gens qui préfèrent croire que le bien est inscrit dans des codes. C'est tellement plus simple !

Je n'avais pas le cœur à philosopher :

– J'ai l'intention de payer le loyer de Noël...

Jean hocha la tête d'un air suspicieux.

– M'sieur Georges... Sérieusement ? Vous pensez que la Richarde va revenir sur l'arrêté d'expulsion pour quelques francs ? Ah, tout cela est un prétexte ! La mégère veut juste récupérer sa maison pour la louer plus cher. Elle cherche la rupture de ces contrats d'avant-guerre qui ne rapportent pas, c'est tout. Son harcèlement n'a pas d'autre but.

Je décidai alors de rendre visite au maire et à madame. Les Quaeghebeur habitaient une grande ferme face au porche de l'église Saint-Éloi, à quelques pas de chez moi. La bâtisse du maire était construite en carré autour d'une cour encombrée de matériel agricole. Au contraire de Marcelle et d'Albert qui avaient opté pour la location de leurs propriétés, ils exploitaient directement leurs quelques terres.

Mon entrée dans le bâtiment fut saluée par un concert de chants de coq et de caquètements. Un chien borgne et efflanqué surgit d'une méchante niche de briques disjointes. Il me suivit de son œil flamboyant. Quelque part dans une grange, les couinements d'un porc me vrillèrent les tympans.

Yvonne m'accueillit, imposante, affable et maternelle, sœur nourricière et agent électoral de son mari. La cuisinière à bois surchauffait la pièce. Une bouilloire et trois marmites fumaient dans une atmosphère de bain turc. Elle m'offrit le café :

– Asseyez-vous un moment, m'sieur Georges. Mon mari est occupé avec le cochon… Il faut bien que ça se fasse, uh !

Elle posa un bol brûlant devant moi. La table était embarrassée des reliefs d'un déjeuner qui n'avait de petit que son horaire : motte de beurre, terrines, oignons blancs, cornichons géants, épaisses tranches de pain de campagne, etc. Je refusai de goûter un sandwich au pâté, identique à celui qu'elle plongeait dans son bol, et bus sagement mon café brûlant en détaillant la pièce. Les faitouts de fonte émaillée mijotaient à gros bouillons. Leur couvercle laissait échapper une mousse grasse qui se déversait sur la plaque en chuintant bruyamment.

– Je peux peut-être vous aider, m'sieur Georges ?

Sûrement, pensai-je, puisque son mari se conformerait aux directives. J'abordai le motif de ma visite.

– Pour Noël, je voudrais proposer…

Je m'interrompis. Dehors, les protestations déchirantes du cochon redoublaient. Malgré moi, mon regard glissa vers la fenêtre. Au travers du rideau au crochet *brise-vue*, je vis le maire sortir des dépendances, tirant au bout d'une corde une bête imposante qui se débattait, secouant la tête, tandis que deux ouvriers agricoles la poussaient par l'arrière-train. Au centre de la cour, je remarquai une hache et trois seaux préparés sur une bâche.

– Ils vont… commençai-je, alors que les clameurs s'amplifiaient.

Yvonne se mit à ricaner la bouche pleine.

– On jurerait qu'il connaît son sort, murmurai-je en luttant contre les premiers haut-le-cœur.

– Uh ! Mais bien sûr, m'sieur Georges ! C'est très rusé, un cochon, uh ! Mon mari dit que c'est plus malin qu'un chien. Il dit…

Le reste de sa phrase fut couvert par les couinements et les sifflements de la bouilloire. Au milieu de la cour, le porc épouvanté ruait maintenant comme un pur-sang. La procession atteignit la bâche dans un concert de cris de bête et de jurons humains. Le menton gouttant de café, la bouche encombrée de pâté, Yvonne continuait d'hululer. *Uh… Uh…*

Dans la cuisine, les relents de nourriture m'écœuraient. Dans la cour, le maire hurlait ses ordres. Le cochon jeta alors ses dernières forces. Ma tête résonnait de ces vociférations. La bouilloire sifflait comme un train de déportés. Le café me remonta l'œsophage en hoquets brûlants. Je m'accrochai à la table. « *Schwein, Schwein* ! » : les éructations hilares des SS s'unissaient à la cacophonie de cette scène ordinaire. Ordinaire, ordinaire, le mal ordinaire…

Le maire saisit la hache.

Uh… uh… Yvonne riait à ma mine. *Chhh…* sifflait la bouilloire. *Quouirgh…* couinait la bête qui refusait son destin de terrine. Je me redressai d'un seul coup et les murs de la cuisine se mirent à tournoyer. Le cochon secouait la tête dans une ultime révolte. Le flot de café me submergea. *Schwein* ! Je m'étalai sur le carrelage dur et froid.

Et le tumulte cessa.

« Il a fait une rechute... ». Je reconnus les accents placides du docteur Trillion. Quelques chuchotements lui répondirent parmi lesquels les gloussements gras de la mairesse : « Il est bizarre depuis son retour. (...) Mais pour un cochon, tout de même... uh ? » Elle pouffa. La voix fluette d'Augustine susurrait des questions inaudibles. Nauséeux, je gardai les yeux fermés en écoutant les lattes du parquet grincer sous leurs poids.

Solennels comme un glas, dix coups sonnèrent à l'horloge du rez-de-chaussée : ils m'avaient ramené dans ma chambre.

Ordinaire... Le mal ordinaire rôde. Il est partout... Les yeux remplis de la terreur stupéfaite de deux jeunes filles, les protestations d'une bête conduite à la hache... Ordinaire... ordinaire... Le mot revenait en boucle avec cette question : étais-je fou ? Tous devaient le penser, en m'accordant l'excuse de revenir du gouffre, sans comprendre que l'enfer était ici aussi. Oui, si la folie se reconnaît à l'incapacité de vivre avec les autres, alors, j'étais devenu fou...

Sur le palier, les conciliabules se prolongeaient. Yvonne minaudait de fausse empathie : « C'est à cause des camps de travail... »

Ma bouche s'emplit d'une amertume de café et de larmes. Les craquements de plancher s'amplifièrent et j'entrouvris les yeux. Dans un brouillard, je vis le docteur s'approcher de mon lit, sa serviette à la main.

– Docteur ! Docteur ! murmurai-je.

– Oui, m'sieur Georges. Ne vous inquiétez pas : vous avez juste besoin de repos. Il vous faut encore un peu de temps pour vous remettre.

Je posai ma main sur la sienne :

– Me remettre ? Docteur, répondez-moi... Qu'est-ce que j'ai ?

Il sortit une seringue :

– Détendez-vous, ça ira mieux après ça... Vous êtes déprimé, m'sieur Georges... Vous voyez tout en noir... Vous êtes malade...

Je secouai la tête :

– Tout est noir... Nous sommes tous malades...

Le praticien me fixa :

– Allons ! Allons ! Que me dites-vous là ?

– Nous sommes tous des malades en puissance, hein ?

Il sourit :

– Heureusement non, m'sieur Georges !

Le docteur s'assit sur le lit en farfouillant dans sa serviette. Il ouvrit une fiole et remplit sa seringue.

Je ricanai :

– Ah ! Vous êtes bien comme le curé ! Avec des discours hypocrites destinés à votre clientèle !

Choqué, le praticien arrêta son geste et me fixa d'un air contrarié :

– Oui, je sais ce que vous allez me dire, m'sieur Georges : la vieillesse, la mort... En faculté, un professeur avait l'habitude de nous dire qu'un homme en bonne santé est un malade qui s'ignore. Il affirmait que nos cancers étaient latents, que les bactéries ne demandaient qu'à se multiplier...

Il me remonta la manche d'un air autoritaire :

– Bien sûr que nous allons tous mourir... Mais pas maintenant... Allez, détendez-vous.

Nous allons tous mourir… Et si la réponse était là, toutes les questions perdant leur objet ? Le docteur Trillion me piqua prestement et la chambre se mit à se dissoudre. Quelque part, dans mon cerveau douloureux, la litanie reprit :

Ami, entends-tu le vol noir des corbeaux sur la plaine ?

Ami, entends-tu ces cris sourds du pays qu'on enchaîne ?

Le lit s'effondra dans le vide.

C'est nous qui brisons les barreaux des prisons pour nos frères…

La haine à nos trousses et la faim qui nous pousse, la misère…

Les murs se dilatèrent, poussés par une force centrifuge et démoniaque et je quittai la ronde sinistre de cobayes humains au regard muet, de cadavres à la cervelle éclatée, d'infirmes sur roues et de cochons couinant de désespoir, pour le néant consolateur de l'inconscience chimique.

*

* *

Ils vous ont menti ! Vos parents vous avaient accroché sur la poitrine un tétragramme inutile : une étoile à six branches, vain bouclier de David pour vous accompagner vers l'Au-delà. Ils vous ont menti… Vous n'avez eu que la souffrance sans le salut…

Où est-il, ce Dieu dont l'amour infini est aussi vain qu'une formule de compassion chuchotée à la synagogue ? Ni sur la plaine d'Auschwitz-Birkenau ni dans le ciel vide de Pologne où s'élevaient les atomes du peuple élu en volutes anodines. Il n'était pas sur le sommet du mont Golgotha : je n'ai que faire d'un Dieu défaillant pour le supplicié, d'un Dieu avide d'une foi si exclusive qu'il voudrait nous y enfermer dans ce clocher planétaire, sourd aux hurlements d'une enfant…

Ils vous ont menti ! La Shoah a chassé le Grand Pardon[1]. *Ils vous ont menti comme j'ai menti à tous mes écoliers, leur faisant miroiter un univers baignant dans une justice immanente, récompensant les bons élèves et punissant les autres… pour leur bien. J'ai menti à tous les enfants à qui on me confiait d'apprendre le monde.*

Je leur ai menti toute ma vie !

La vérité a éclaté à l'instant même où vous pensiez le rejoindre : « Dieu est mort avec vous… ». Vos regards imploraient une réponse. Vous êtes parties sans elle. Mon ciel s'est alors encadré de noir.

Et tous ces discours sur l'impénétrabilité de la volonté divine me font hurler. Ces cathédrales érigées par ces gens terrorisés par cette injustice sans appel.

Je n'ai que faire d'une divinité qui laisse souffrir les jeunes filles dans le puits de leurs questions sans réponse.

Nicht Nur Warum ! C'est la seule vérité. Puisqu'il n'y a aucune réponse à attendre d'un ciel vide de raisons…

---

1. Yome Kippour. À la fin des jours austères.

Chapitre 6

Je fus consigné dans ma chambre pendant quinze jours, dans la béatitude artificielle prescrite par le bon docteur. Aussi efficace que discrète, Augustine se chargea de mon ravitaillement en vitamines fermentées. Encombrante et peu soucieuse de l'éviter, Yvonne me ramenait des victuailles dont ces quelques *têtes pressées*, terrines de porc que je n'eus le cœur ni de refuser ni de manger. C'est ainsi que, pendant des semaines, dernières reliques d'un cochon qui ne voulait pas mourir, les pâtés de tête pourrirent dans ma cave.

Mes propositions confuses de régler les impayés de Noël furent à peine écoutées comme les divagations inoffensives d'un homme ayant perdu le sens des réalités. Elles restèrent sans réponse, scellant le destin du vieux Poilu et son ultime domiciliation... et moi, dans mon lit.

Sa maison de Neu-Cappel fut louée presque immédiatement à une famille aisée qui engagea de lourds travaux. Jean avait raison.

Après deux semaines de repos forcé, je ressentis le besoin de sortir. La lecture des philosophes pessimistes et l'atmosphère confinée de ma chambre avaient fini par m'oppresser. Même si dehors m'attendaient les démons célestes qui me tourmentaient…

La question de ma folie revenait en boucle, tacite et sans réponse. Si la folie est de n'être bien nulle part et de ne plus supporter ce qu'hier encore je ne remarquais même pas, alors oui, j'étais fou…

Le drame se produisit un jeudi d'octobre, le jour des enfants. Les somnifères du docteur étaient épuisés et j'avais peu dormi. Six heures avaient sonné à l'horloge en bas. Sacrifiant à l'astreinte auto-imposée, je sortis dans la nuit profonde pour réveiller mes jambes ankylosées et secouer mon esprit encore habité de songes obscurs.

Le village suintait d'une bruine fine et triste diluant mon courage. Les ruelles étaient désertes. Çà et là, quelques lumières incertaines révélaient les premières activités matinales ; ici le chant d'un coq anticipait le jour, au loin un chien aboyait à quelque démon. Le village s'éveillait.

Mécaniquement, je pris la direction du Kleindorp et du bois de la Becque. À la sortie du village, je découvris les préludes d'une aurore blafarde. Mes pas pesants s'enfonçaient dans la glaise. La silhouette de la chapelle des Sept Douleurs s'ébaucha au milieu de cette vapeur froide. Ses deux sentinelles végétales lui dessinaient deux bras noueux tendus vers le ciel chargé.

Soudain, une vague d'angoisse plus forte que les autres me submergea. Je m'arrêtai au milieu du chemin parmi les spectres brumeux. J'écoutai : quelque part, des coups de feu claquaient dans le silence. Leurs échos me résonnaient dans le crâne, de plus en plus près, de plus en plus près… L'ombre de la chapelle se métamorphosa alors en mirador. Les balles me sifflaient aux oreilles escortées de vociférations allemandes. Le cœur soulevé, je me mis à errer en zigzag dans le brouillard en poussant des hurlements : *Schwein ! Schwein !* Je perdis connaissance.

Je revins à moi au fond de l'église Saint-Éloi, sans le moindre souvenir d'y être entré. J'étais assis face à un prie-dieu, sur une chaise empaillée, dans une solitude glaciale, le pantalon maculé de boue.

Ma main gauche irradiait d'une douleur sourde. Ce signal lancinant me révélait que j'étais encore vivant. Sans comprendre, je contemplai la gaze ensanglantée qui l'enveloppait. La souffrance physique est si banale… Je considérai le pansement avec une curiosité détachée. Soigné, le bandage avait été serré d'une main experte.

Je regardai autour de moi : personne…

Que faisais-je ici ? Depuis combien de temps n'étais-je pas entré dans une église ? Quatre ans peut-être, à l'occasion du mariage d'Hervé, à moins que ce ne fût le baptême de la dernière-née du maire, ultime ripaille d'avant-guerre ? Que faisais-je là, sous une crucifixion en haut-relief ? Mon inconscient m'avait-il conduit dans ce lieu de prières pour me préserver de mes propres démons ? Mes questions rebondissaient sur les pilastres, traversaient la croisée du transept pour aller se perdre en haut du pinacle au milieu du chœur. Seul me revenait l'écho d'une voix insistante qui m'assurait : *Vous pouvez le faire…*

Schizophrénie ? Alors, c'était cela, la folie ?

Vous pouvez le faire, vous pouvez le faire… Qu'avais-je donc fait ? Quel acte avait pu me procurer ce bien-être inaccoutumé ? Presque intimidé par ce sentiment de douceur, je restai immobile, dans la pénombre, saisi par ce silence si caractéristique, peuplé de bruits infimes, rebondissant à l'infini sur les moellons épais.

Je scrutai la nef colorée de rais diagonaux filtrés par les vitraux ésotériques, le chœur lointain et obscur empreint d'une mystérieuse révélation divine sous forme d'une étoile sanglante et immuable. Seul, habité de cette rumeur dans le crâne soufflée par l'assemblée des saints pétrifiés…

Les jambes tremblantes et souillées de terre et de sang, je restais appuyé contre le pilier de pierre grise, face à cette crucifixion de bois fendu, sans plus me soucier de ma main douloureuse et de son mystérieux bandage.

Je contemplai le Sauveur. Visage tourné vers le ciel… Crucifix… Croix de torture. Mon regard ne parvenait pas à se détacher de ces yeux révulsés, de ce visage sillonné de sang et de larmes, de cette bouche entrouverte pour un cri silencieux, de ces mains sculptées implorantes, à demi-ouvertes vers le ciel muet, à demi-fermées pour une révolte inutile. « Père, pourquoi m'as-tu abandonné ?… » Pourquoi *nous* as-tu abandonnés ?

Je L'observais et L'interrogeais… Le Christ a-t-il cru jusqu'au bout au mal rédempteur ? Ce Nazaréen au destin planétaire, dont le sacrifice est cloué sur les murs de millions de croyants, plaidant pour son paradis payé de sanglots et de spasmes, avait-il découvert à l'instant ultime que le ciel du Golgotha était aussi vide que celui d'Auschwitz-Birkenau ?

Étrangement, la sérénité m'emplissait le cœur et je ne Lui en voulais plus. Je me sentais presque proche : Il aurait pu être parmi nous, supplicié par les nouveaux centurions antisémites du vingtième siècle, nu ou en costume rayé. Führer, ceux qui vont mourir te saluent ! Toutes les souffrances se rejoignent. Pour un peu, j'aurais prié… Mais que valent les prières d'un fou ?

Je rentrai chez moi, dénouai le bandage et examinai sans comprendre ma paume entaillée. La plaie, nette et profonde, garda ses mystères : aucun indice sur l'origine de cette blessure. Je fis un nouveau pansement et mis de côté le tissu ensanglanté : peut-être me dévoilera-t-il un jour sa mystérieuse origine. Puis je pris mon petit-déjeuner, café noir, tartiné de pensées confuses sur ces étranges événements… Mes délires et mes obsessions de malheur me paraissaient lointains. Que m'était-il arrivé ce matin-là ? Était-ce un appel de Dieu qui m'avait attiré dans cette église ?

C'était drôle. La colère me paraissait maintenant si stérile. Premiers symptômes du détachement ? Ou ressort pour aller plus loin, en dépassant la simple révolte contre Dieu et les hommes ?

Dans un étrange sentiment de béatitude, après une communion muette avec la souffrance d'Augustine, j'éprouvai le désir de franchir le simple stade de l'athée viscéral. Alors, j'ouvris un cahier à grands carreaux identique à ceux que je recommandais à mes élèves. Je trempai ma plume dans l'encrier d'encre outremer et griffonnai d'une écriture dégradée :

Chère Augustine,

Ce matin, je me suis retrouvé à l'église pour une raison que j'ignore.

Je dois vous dire y avoir éprouvé une surprenante sérénité.

Le Christ m'est apparu comme un supplicié parmi des millions d'autres. Et le spectacle pathétique de sa passion me pousse à plus de compassion que de désespérance. Le sang bu chaque dimanche me semble pourtant si vain.

Au moins, le christianisme a le mérite de proposer une représentation de la vie terrestre qui me correspond :

morbide comme une crucifixion. Il aborde cette énigme dont l'urgence éclipse toutes les autres : le mal, la souffrance ici-bas.

Malheureusement, Augustine, le salut m'est refusé. Votre Dieu ne mesure que le drame de la condition humaine. Je ne parviens pas à adhérer à cette délivrance codifiée, ces lois révélées, ces commandements suspects. Mais je vous le dis aujourd'hui, vous avez de la chance d'y croire...

Hélas, votre paradis candide est perdu pour moi ; j'aurais toutefois tant aimé que vos grains de prières vous exaucent.

Georges.

Le vent humide se leva dans le tourbillon des premières feuilles mortes et fit claquer la fenêtre de la cuisine. Je frissonnai. Je détachai la page du cahier, la pliai et la mis dans une enveloppe sur laquelle j'écrivis « Augustine » et la plaçai bien en évidence sur la table à manger. Elle la trouverait le lendemain.

Je me redressai et pris du recul comme un peintre pour apprécier son travail. Mon cahier se referma dans une rafale. Oui... Fidèles ou païens, nous étions tous condamnés à la même errance solitaire.

Était-ce ma réconciliation avec les croyants et ma compassion pour Augustine qui m'apportaient ce réconfort ?

Et il y avait ces chuchotements. De plus en plus lointaine, cette douce résonance me répétait encore : *Vous pouvez le faire ?*

Faire quoi ?

Au milieu de ces vapeurs mentales, j'entendis à peine le pas lourd d'Hervé. Oubliant notre froid depuis l'expulsion d'Albert, il se précipita vers moi comme si la Guerre mondiale s'était rallumée de ses décombres :

– M'sieur Georges ! M'sieur Georges ! La Richarde a eu un accident !

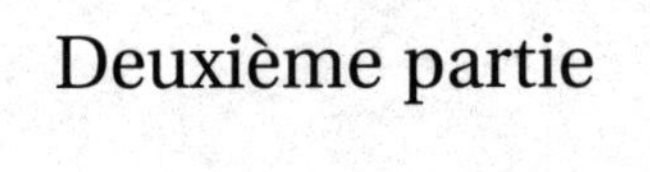

Deuxième partie

Nadia et Sofia.

J'ai lu dans vos regards que le mal n'était ni une illusion, ni une privation, ni une comparaison subjective. Encore moins les petites imperfections d'un monde qui reste le meilleur possible…

Mais quelle est donc sa nature ? « Le mal est aisé, il y en a une infinité, le bien est presque unique. » Pascal l'avait perçu : il y a une manière de rester en bonne santé, et un million de manières de mourir. C'est un parallèle qui va bien au-delà de la sémantique : il serait tellement absurde de considérer la maladie comme une absence de bonne santé.

Nadia et Sofia… Je vous dois de ne jamais oublier la vérité objective de la souffrance, une vibration lancinante inscrite dans les chairs, aussi réelle que le fer ou le feu. Les événements d'Auschwitz-Birkenau ont éclaboussé mon Univers tout entier, jusqu'à la haine des étoiles, si dures et si fixes dans un ciel si vide ; et même s'il me faut y perdre la raison, à combattre les théories de ceux qui ont voulu concilier l'abject et l'économie du monde, servant l'obscurantisme par des théodicées religieuses ou profanes, par égard pour vous, dans le deuil définitif de votre martyr, je refuse de l'accepter comme une simple épreuve.

Chapitre 1

– M'sieur Georges ! M'sieur Georges ! La Richarde a eu un accident !

Je contemplai Hervé sans comprendre. Paniqué, le drap de son uniforme imbibé de bruine et le visage grassouillet ruisselant de sueur, il s'écroula sur une chaise :

– Vous avez entendu, m'sieur Georges ? La Richarde…

Il me dévisagea avec inquiétude :

– Ça ne va pas, m'sieur Georges ? On dirait que vous avez vu un fantôme.

Stupidement, je lui demandai :

– Quelle heure est-il, Hervé ?

– Il est plus huit heures. Qu'avez-vous à la main ?

Je commençais à sortir de ma torpeur :

– Rien de grave, répondis-je… Qu'as-tu dit ?

Je reprenais peu à peu mes esprits. Hervé m'expliqua d'une voix essoufflée le coup de téléphone reçu de Richart : il avait découvert le corps inanimé de sa femme dans la grange. L'adjudant avait laissé l'information à Yvonne qui s'était chargée de la transmettre à son mari. Le commandement, prévenu, dépêchait une voiture de la ville. Le docteur Trillion arrivait du village voisin. Hervé me supplia de le suivre jusqu'au Kleindorp. J'acceptai avec réticence.

– Tu es sûr que je serai utile ?

– Ça a l'air grave, m'sieur Georges.

C'était le baptême du feu d'Hervé. J'enfilai mon manteau sans réfléchir davantage à mes émotions du jour. Nous partîmes. Ma main gauche me lançait. Hervé me prit le bras qu'il ne lâcha plus. Pendant le trajet, il me répéta les propos confus de Richart : Marcelle baignait dans son sang à l'entrée de l'étable.

– *Dans son sang !* répétai-je, incrédule.

– Ça a l'air grave, m'sieur Georges. Très grave ! me lança pour toute réponse le sous-officier.

Je l'observais à la dérobée : physique lourd, mental timoré... Pourquoi Hervé était-il donc devenu gendarme ? Le souvenir du gamin rondouillard jouant en solitaire dans la cour de récréation ne m'aidait pas. Devient-on gendarme par hasard ? Ce hasard qui nous détermine... En définitive, qui choisit vraiment sa vie ?

Nous dépassâmes la chapelle des Sept Douleurs. Je détournai les yeux en pensant à mon évanouissement du matin.

En silence, nous longeâmes les champs de blé hérissés de paille drue. Laborieusement. Nous arrivâmes enfin au Kleindorp. Hervé soufflait ; moi, je souffrais. Le chemin vicinal nous conduisit à la ferme Richart. La campagne était déserte sous le crachin ; nous n'entendions que nos semelles pataugeant dans la boue des ornières.

Hervé me fit contourner l'habitation. La traction du docteur Trillion stationnait devant l'entrée. La cour était vide. Quand nous dépassâmes le panneau « CHIEN MÉCHANT », je retins Hervé par sa manche :

– Attention au chien...

Ma voix fut couverte par les aboiements. Indécis, nous restâmes à l'entrée de la ferme.

– Entrez ! cria une voix à l'intérieur de l'étable. Entrez ! Il est attaché !

Nous pénétrâmes dans la cour, assourdis par les protestations furieuses du gardien des lieux. Dressé au bout de sa chaîne, le malinois s'étranglait de rage. Sous ses assauts, la niche tanguait de façon alarmante. La porte de la dépendance était grande ouverte. Albert sortit à notre rencontre, méconnaissable, le visage décomposé. Il nous salua d'un signe mécanique de la tête et nous désigna la grange en murmurant :

– Elle est là…

À l'intérieur, il me fallut quelques secondes pour m'accoutumer à l'obscurité. J'aperçus d'abord le docteur Trillion penché sur une forme sombre. Je m'approchai timidement dans la pénombre. Hervé resta en retrait.

Petit à petit, je distinguai un corps étrangement figé dans la paille, replié sur lui-même dans la posture cocasse d'une marionnette abandonnée. Puis j'observai la tête : enserrée dans son fichu, elle faisait un angle bizarre avec le tronc. Je reconnus alors Marcelle et son tablier à grandes fleurs.

Quand Albert nous rejoignit, le médecin se releva avec difficulté. À la lenteur de ses gestes, je compris que toute urgence était superflue. Le visage fermé, Trillion s'approcha d'Hervé et murmura au gendarme :

– Je peux vous parler ?

Les deux hommes sortirent. Je ne savais que dire à Albert prostré devant sa femme sans vie. Mes yeux fouillaient l'étable et cette scène baroque se grava progressivement dans ma mémoire : la lumière grise du matin entrant du porche, devant le mur de ballots de paille qui montait au plafond, le corps osseux effondré sur lui-même, la posture étrange de ses membres, la bouche ouverte dans une protestation silencieuse d'où s'échappaient quelques brins de paille, et les yeux écarquillés de surprise…

Surprise... Marcelle semblait avoir été fauchée en plein ouvrage. Dans l'ombre, un seau renversé, plus loin dans le fond, des animaux invisibles dont je percevais le souffle. Au bout de longues minutes, l'évidence s'imposa alors comme un coup de feu : en écoutant les conciliabules entre le docteur et le gendarme, en regardant le corps cassé, la joue contre terre, la bouche encore amère, le triste fichu goûtant d'un peu de sang sombre, et toute cette paille... à ce moment seulement, je compris qu'il s'agissait d'un crime.

Je sentis monter cette sensation horriblement familière : cette nausée allergique à toute violence qui me comprimait le diaphragme, me vrillait l'estomac et me remplissait la bouche d'humeur brûlante, en déroulant son cinéma muet... Les camps, les bâtiments alignés à perte de vue, les corps décharnés fauchés en plein travail, les visages déjà absents, le sol éclaboussé de mousse grasse qui fut le siège de leur âme et les yeux révulsés qui n'interrogeaient que le vide du ciel...

Un crime... Je m'appuyais contre le mur en aspergeant le sol.

Je perçus des vrombissements de moteurs. Une ambulance et un fourgon de gendarmerie pénétrèrent dans la cour. L'étable se remplit de chuchotements d'église, l'obscurité crépita des flashes des enquêteurs et résonna de commentaires macabres. Je restai plaqué contre le mur comme un fugitif poursuivi.

– ... la balle n'est pas ressortie de la tête, il n'y a qu'une blessure...

– ... déterminer l'heure du crime...

– ... pas d'arme...

Le haut-le-cœur m'obstruait la gorge. *Le mal est aisé...* Un petit trou bien placé par lequel se volatilisent les souvenirs, les calculs et les chimères. Et le corps n'est plus qu'une souillure répugnante, mélangée de terre et de paille.

Quelque chose me parlait. Un détail incohérent que je n'identifiais pas. Il fallait y réfléchir, mais je n'étais pas en état. Je vomis encore un peu de bile. Le docteur me rejoignit d'un air réprobateur.

– Votre place n'est pas ici, m'sieur Georges ! Je vous ai dit de vous reposer.

Il fixa mon bandage :

– Que vous est-il arrivé ?

Gêné, je dissimulai la main derrière le dos comme un garnement pris en faute. *La balle n'est pas ressortie de la tête*… Il me sembla entendre encore quelques coups de feu du côté des bois de la Becque. Cela ne cesserait donc jamais ?

– Rien de grave, dis-je enfin. Je suis tombé…

À l'arrivée du maire, je me repliai chez Émilienne. Depuis son poste solitaire d'observation à dentelles, la vieille femme scrutait la scène.

– Marcelle a été assassinée…

J'avais crié pour me faire entendre mais la nouvelle laissa impassible l'octogénaire, comme si elle savait déjà. Je crus détecter dans son œil le trouble de l'inquiétude ; seul vivait le vibrato de ses vieilles mains. Plus personne à haïr, quelqu'un avait abattu Marcelle…

À bout de forces, je m'assis près d'elle. Côte à côte à la fenêtre, nous suivîmes en silence le déroulement de la procédure.

Six collègues en uniforme avaient rejoint l'adjudant Hervé. L'ambulance emmena le corps. Avec une peine infinie, deux gendarmes s'employèrent à refermer les deux battants de la porte. Un crime…

Tout le monde disparut alors dans l'habitation des Richart, excepté une sentinelle abritée de la pluie sous le porche. Roste la surveillait de ses yeux de braise, figé au bout de sa chaîne, sans doute épuisé d'avoir trop aboyé.

Il n'y avait plus grand-chose à voir. Je ne voulais pas prendre congé d'Émilienne sans lui poser la question qui me brûlait les lèvres. Je lui criai à l'oreille :

– Émilienne, avez-vous vu quelqu'un s'approcher de la ferme ?

Elle opina sans mot dire.

– Qui avez-vous vu ? insistai-je.

Elle hocha la tête d'un air absent :

– Oui, oui…

Elle leva un doigt déformé vers la fenêtre. Puis elle se leva pour prendre son chat.

– Hein Minette, on a vu quelqu'un…

Elle se tut, le regard braqué sur la ferme de son fils, Minette sur ses genoux dans sa posture haineuse et définitive.

J'entendais encore sa voix dérailler : *il faudrait les abattre tous les deux !* Quand la haine est un fardeau trop lourd, n'est-on pas tenté par le passage à l'acte ? Je regardai sa vieille main osciller sur le pelage de son chat…

Émilienne criminelle, tuant sa belle-fille d'un coup de fusil ? Quelle idée absurde alors que l'octogénaire avait cessé depuis longtemps de maîtriser son propre corps !

Peut-être pensait-elle que la Richarde avait été tuée par son propre fils ?

Je l'embrassai et la quittai, préoccupé par une anomalie diffuse : une bizarrerie dans ce crime, gravée dans un coin de mon esprit équivoque. Et cette voix chantante dans l'église au petit matin… *Vous pouvez le faire…*

Je m'éloignai de la ferme, laissant derrière moi la funeste cour encombrée de tractions officielles. Sous le ciel chargé, les champs de terre sinistres et nus luisaient d'humidité, reflétant le mal dans cette atmosphère délétère et poisseuse.

Je marchai spontanément jusque chez Jean... Marcelle assassinée... La mort reste si fascinante : on se lève un matin, la tête habitée de projets dérisoires, et nos fictions s'écroulent comme un château de cartes dans un bruit de tonnerre...

– Abattue dans sa grange ?

Jean répéta l'information, ahuri. Je confirmai avec lassitude :

– Une balle en pleine tête, Jean... Apparemment, il n'y a pas d'arme : ce n'est pas un suicide.

Jean n'était pas homme à feindre. La stupeur se lisait sur son visage.

– Assassinée ? La Richarde ?

Il me parut plus choqué que je m'y attendais. Il garda de longues minutes un étrange silence méditatif, avant de se reprendre d'un air farouche en commentant qu'elle n'allait manquer à personne. Devant mon mutisme, il m'asticota gentiment :

– Ah ! m'sieur Georges, il vous reste encore de vieux réflexes judéo-chrétiens, on dirait ! Cinquante millions de morts en cinq ans, un homme sur je ne sais combien... des dizaines de métropoles rayées de la carte ! Et vous voudriez que je me lamente sur le sort d'une sordide grippe-sou ?

Il renifla avec mépris :

– ... qui n'a même pas souffert !

Je n'avais rien à répondre à ce visage fermé. Mécaniquement, je fis la règle de trois. Cinquante millions sur deux milliards...

– Un homme sur quarante, Jean... Toujours fâché avec l'arithmétique ?

Il haussa les épaules :

– À quoi bon compter ? marmonna-t-il. Au fait, vous êtes blessé ?

Du menton, il désigna mon pansement. J'éludai le sujet et balayai la campagne de la main droite en posant la question qui me démangeait :

– Jean, as-tu vu quelqu'un au Kleindorp, ce matin ? Une voiture, des promeneurs ?

– Personne, m'sieur Georges, répondit-il avec une pointe d'ironie.

Je me levai.

– Tu as raison, concédai-je. Elle ne s'est rendu compte de rien ; elle n'a sans doute pas souffert… Un petit trou dans la tête, et la machine s'est arrêtée.

Je pensai à sa grimace amère déformée par le fichu rouge. Repoussant mes questions sans réponse, j'ajoutai en prenant congé :

– Elle n'a même pas eu le temps de quitter son masque revêche…

*

* *

Je vois bien mon amertume changer de cible. Dépassant mon insurrection contre une divinité si misérablement clouée qu'elle en devient stérile, j'ai admis d'y lire une mesure de notre souffrance. Face au supplice du Crucifié, qui suis-je donc pour Lui reprocher les manipulations posthumes ? Non, aujourd'hui, mon ressentiment se retourne vers les prophètes du progrès, les défenseurs d'une civilisation salvatrice qui nous emporterait vers un avenir lisible. Je referme aussi ces livres qui substituent à la mythologie défaillante un fantasme laïc : confondant technologie et progrès, organisation et liberté, force et droit…

Mais où chercher ? La bibliothèque de Jean dressait son mur d'interrogations, challenge intimidant : il me fallait explorer systématiquement les ouvrages abordant la question : « Comment définir le mal ? » sans chercher à en repousser la réalité répugnante, en dépassant le niveau de l'anecdote futile. Je me consacrai aux auteurs ayant renoncé au dualisme simpliste du bon et du méchant en prônant la mort du pêcheur, au risque d'ôter tout sens à l'économie du monde, et de rendre impossible toute lecture de l'univers.

Que cache son caractère infini, excessif et composite : physique, moral ou métaphysique ?

La nuit, quand mes promenades incertaines déroulent le spectacle d'un firmament lumineux, je m'interroge : le mal est-il inscrit dans la matière ou dans les étoiles ? Dois-je croire Rousseau quand il nous montre l'homme du doigt ? « Ne cherche plus les auteurs du Mal, cet auteur, c'est toi-même... »

Oui, l'homme... SS, gendarme, aryen, Kapo, médecin ou Tzigane... Tous membres de l'organigramme de l'horreur où chacun participe à sa manière, dans sa couleur, sous sa bannière, conduisant les trains, choisissant les déportés, versant les gaz, arrachant les dents, charroyant les corps, triant les vêtements, empilant les dépouilles, enfournant les cadavres pour alimenter le monstrueux brasier du monde plutôt que d'y brûler.

Chapitre 2

Cette excursion morbide m'avait épuisé. Je retournai vers le village… Le ciel gris m'écrasait, la nausée me minait, le vent me soûlait, la bruine me faisait suffoquer.

Elle n'a même pas souffert… Peut-on épitaphe plus cynique ? Jean s'abandonnait à sa rancœur, comme Augustine s'en remettait à Dieu. De ce point de vue, leurs résignations se rejoignaient. Haïr est une renonciation à comprendre, comme croire est une abdication de l'intelligence. Dans cette vallée de larmes, l'une pleure, l'autre rugit… Et moi, sur cette terre nue d'automne, je m'entêtais à marcher, titubant dans ma quête, soliloquant mes serments endeuillés à deux jeunes filles orphelines de Dieu.

Le village bouillait comme une soupe qui mijote. Les paysannes excitées tenaient leur pas-de-porte, humant le crime dans les tourbillons du vent, éparpillant les ragots rabâchés où chacune espérait un semblant d'exclusivité. Sur la place, au seuil de l'estaminet, les bras croisés au-dessus des mamelles et le double menton intraitable, Yvonne pérorait devant une demi-douzaine de spectateurs attentifs. Je ne m'attardai pas.

Il était déjà midi mais l'appétit me boudait. Réfugié dans ma cuisine, je faisais réchauffer du café, quand j'entendis le claquement de la porte d'entrée.

Hervé entra dans la pièce pour s'effondrer sur une chaise. Il gémit :

– Quelle matinée !

De grosses marques rouges marbraient son visage gras de sueur. Il desserra le nœud de cravate qui lui martyrisait l'encolure.

– Il a fallu que ça tombe sur moi !

Notre gendarme se répétait. Comme au temps où il gémissait quand je l'appelais au tableau *Pourquoi moi, m'sieur ?*, sans jamais admettre que c'était simplement son tour.

Je lui servis le café en silence.

– C'est un crime, m'sieur Georges, souffla-t-il, encore incrédule.

Je hochai la tête, et murmurai :

– J'en ai bien peur. Ce n'est ni un accident ni un suicide.

Non, Marcelle ne s'était pas donné la mort. D'une certaine manière pourtant, se faire ainsi détester de tout le monde s'apparentait à l'autodestruction.

– Comment Albert prend-il la chose, Hervé ?

Il grimaça :

– Mal, très mal ! Il reste prostré, répond à peine à nos questions. Il surveille sans arrêt la fenêtre. Il est choqué. Il a peur, je crois. Ça se comprend, non ? Il est peut-être le prochain sur la liste...

Chafouin, il se pencha vers moi :

– Vous pensez vraiment que le couple pouvait bien s'entendre, m'sieur Georges ? La Richarde, elle lui faisait pas de cadeau non plus !

J'eus un geste vague.

– Qui peut savoir ?

Après un court silence pensif, Hervé récapitula sur ses gros doigts aux ongles rongés :

– Bon, voilà ce qu'on sait. Elle est allée traire les vaches à six heures, comme tous les jours. Cela lui prenait moins d'une heure, alors, bien sûr, Albert s'est étonné de ne pas la revoir… Il l'a trouvée un peu avant sept heures.

Il termina son bol, puis reprit :

– Le médecin est formel : elle était morte depuis peu quand il l'a examinée… La Richarde a sans doute été assassinée vers 6 h 30.

Hervé me fixa d'un air un peu perdu :

– Albert affirme qu'il n'a pas bougé de chez lui et il n'a rien vu, rien entendu… Et puis, il y a le chien !

Je frissonnai… En effet, il y avait le chien. J'éprouvais aussi quelques difficultés à hiérarchiser toutes ces interrogations. Je revivais mon étrange présence à l'église… que je gardais pour moi. Je réfléchis tout haut :

– Comment a-t-on pu tirer sur Marcelle dans son étable sans avoir d'abord abattu le molosse ? Mystère !

– C'est incompréhensible ! Roste, il saute sur tout ce qui bouge ! s'exclama Hervé. En plus, il était attaché à sa longe ; il pouvait circuler dans toute la cour. Albert dit qu'il a aboyé. Mais franchement, m'sieur Georges, de vous à moi… ce chien, il aboie tout le temps, hein ?

J'acquiesçai d'un signe de tête. Pour moi, ce malinois représentait la métaphore tragique du monde : en dehors de sa cour, l'univers tout entier n'était qu'une menace. Je méditai à cette image de gardien, vouant son existence à haïr au bout de sa chaîne ; j'en arrivai presque à ressentir de la pitié pour cette bête au psychisme ciselé par le tranchant de nos angoisses.

Le gendarme poursuivait :

– Émilienne… elle prétend avoir aperçu un inconnu, mais elle n'a pas entendu le chien. Faut dire qu'elle est sourde comme un pot !

– La pauvre passe sa vie à sa fenêtre. Cela dit, elle n'a plus toute sa tête.

– Émilienne, Albert, le chien ! On ne voit pas comment le criminel a pu venir au Kleindorp sans se faire repérer !

Le ton devenait pointu. Penaud, l'enquêteur ajouta :

– En plus, la cour est le seul accès de l'étable. Non, m'sieur Georges, c'est pas évident...

Il secoua la tête.

– Au fait ! Je ne vous ai pas dit ? On a retrouvé la balle dans la tête. C'est avec un pistolet qu'on a tué la Richarde...

Réalisant qu'il parlait d'une défunte en termes peu réglementaires, il rectifia :

– De Marcelle Richart...

– Et de quelle arme s'agit-il ?

Tout heureux d'avoir enfin une information concrète, Hervé articula d'un air important :

– Une 9 mm Parabellum. Tirée avec une arme allemande : un Walther P.38, sans doute... Le tireur s'est forcément approché à quelques mètres. La Rich... Madame Richart était dans l'obscurité. Pourtant, on voit bien qu'elle ne s'est rendu compte de rien... Une cible mouvante... C'est pas évident...

Pas évident... Hervé mordit dans le pain que je lui offris et commença à mastiquer d'un air pensif. Je tus mes propres interrogations : qu'avais-je fait du pistolet de Jean ? Comment l'assassin avait-il pu s'approcher de Marcelle sans attirer son attention ? Quelque chose nous échappait... La Richarde, la tête dans son fichu... Pantin foudroyé d'une balle comme tant de ces mannequins rayés dont j'avais vu la cervelle éclatée. Un goût saumâtre de paille souillée m'emplit la bouche.

Y avait-il une réelle similitude ? Dans les camps, la mort consistait en un jeu impersonnel sans plus de sens que la folie nazie, sans autre mobile que la volonté de ces hommes arrogants ; leur violence se fondait sur l'affirmation de leur puissance. Mais ce matin-là, les choses se présentaient d'une manière bien différente : Marcelle avait été frappée par une vengeance ciblée et calculée sans rapport avec un jeu sadique. Inéluctablement, l'assassin devenait le personnage clef, déterminé et discret. Ce crime avait un vrai coupable…

Malgré mon état, l'énigme posée par sa mort me chatouillait les neurones. Je le savais pourtant, bien souvent, la recherche de l'assassin relève moins d'un désir de justice que d'une simple curiosité de l'esprit face à un mystère dénué de compassion.

– Bon ! dis-je d'un ton forcé.

Hervé me dévisagea comme on contemple le prophète.

– Voilà un simple problème de logique, Hervé. La seule solution, la voici : le criminel connaissait le chien. Et réciproquement…

Sa mastication cessa sur-le-champ. Une lueur de déception lui traversa le regard.

– Roste ? Impossible ! Ce chien est fou, m'sieur Georges. Vous savez bien qu'il passe sa vie au bout de sa chaîne. Il ne connaît que ses propres maîtres ! Et encore… Vous l'avez vu ? Il mord sa niche tellement il est furieux d'être attaché ! Fou furieux, oui ! Il a déjà blessé Albert ! Non, m'sieur Georges, croyez-moi, c'est pas évident : personne ne rentre sans qu'il ait été attaché à sa niche…

– Et il l'était ?

Il gémit :

– Mais non, m'sieur Georges… Il avait sa longe ! Puisque je vous dis que les Richart ne l'attachent que pour les visites !

– Eh bien voilà, Hervé, dis-je agacé par son ton larmoyant. Marcelle a eu de la visite. Alors, elle a attaché le malinois à sa niche. Le ou les visiteurs l'ont abattue dans l'étable…

– C'est ça ! Et les visiteurs ont détaché le fauve avant de s'enfuir ? C'est pas évident !

Il m'avait interrompu avec un soupçon d'impertinence. Là, Hervé avait marqué un point. Mon hypothèse ne tenait pas.

Un visiteur dans la campagne d'automne se repérait de très loin. Dans le microcosme de Neu-Cappel, la surveillance des uns envers les autres n'avait rien à envier à celle de Roste. Bien plus efficace que l'omniscience divine ! Le village me paraissait le dernier endroit pour un crime parfait.

Autre mystère, comment expliquer que la fermière n'ait pas entendu son agresseur ? Le fichu serré sur les oreilles et le bruit des bêtes ne pouvaient pas l'assourdir totalement.

Avec mes vieux réflexes cartésiens, je songeai que la gendarmerie risquait bien de se rendre à l'évidence, banale et presque rassurante : le mari, coupable par défaut… Ils allaient accuser le maître, désigné par la surveillance furieuse de son chien. Le vague témoignage d'Émilienne visait sans doute à l'innocenter. Rien de bien original, en somme. J'imaginai d'ici l'article du prochain *Indicateur des Flandres* : « Drame de la mésentente ! ». L'hebdomadaire relaterait l'histoire d'un mari aigri par les continuelles vexations que lui faisait subir sa femme. Pas d'alibi et, si l'on excluait le témoignage vague d'Émilienne, personne en vue à l'heure du crime sauf le cerbère irascible qui ne connaît que son maître…

Décidément, innocent ou coupable, Albert me semblait bien impliqué.

Et il restait toujours ce détail bizarre dans la grange qui échappait encore aux enquêteurs. Je n'arrivais pas plus à le formuler qu'à me souvenir de mon emploi du temps, ce matin-là. Après un long silence, Hervé prit congé. Il s'excusa comme s'il m'avait entendu penser :

– C'est pas évident… J'y vais, m'sieur Georges, je vais interroger Jean. Il doit bien y avoir quelqu'un dans le village qui a vu quelque chose ! Sa maison donne juste devant la ferme des Richart.

Il farfouillait dans ses poches d'un air préoccupé :

– Où est mon trousseau ?

Il extirpa une feuille de calepin et me la tendit :

– Regardez, m'sieur Georges, on a fait plusieurs plans des lieux. Je vous en laisse un.

Avec l'expression défaitiste d'un élève devant un problème insoluble, il murmura :

– J'ai perdu les clés de la gendarmerie… Je suis parti si vite ce matin.

Il sauta lourdement sur lui-même dans un cliquetis. D'un air triomphant, il sortit le trousseau de son étui de revolver, et, livide, déclara la seconde d'après :

– Où est passé mon pistolet ?

*

* *

Suis-je détruit ? Pour moi, la paix est un écho affaibli de la guerre, le silence, un cri de haine muet, et le Code civil un traité stratégique…

Et l'homme ? L'accusé des Écritures, responsable d'avoir perverti la création divine en la personne d'Adam, premier prédateur croquant le mal avec la complicité de sa femelle. Dois-je vraiment croire au mythe adamique ?

Dois-je croire Rousseau quand il nous apostrophe : « Homme, ne cherche pas l'auteur du mal, cet auteur… c'est toi-même. » Selon lui, la société humaine serait la première cause du mal. « Je vois le mal sur la terre… ».

La planète avait-elle été un éden extatique avant l'avènement de l'homo sapiens ?

Non, l'homme sauvage n'est sûrement pas ce bipède respectueux décrit par Rousseau... ce prédateur qui tirait par les cheveux son élue, avant de la posséder brutalement pour enfanter l'empire humain censé durer mille fois mille ans...

Le bon sauvage... Fantasme philosophique d'une équanimité impossible...

L'homme inventeur du mal ? Ma misanthropie résiste à cette tentation : les catastrophes naturelles sont les premiers crimes sans coupables : séismes, inondations, irruptions... Moi, le matérialiste, j'entends dans le ciel un silence désolé ; je ne discerne dans le bleu de son azur qu'une illusion philosophique et ne lis dans le paysage que les cataclysmes du passé. Pourtant, je conteste à ce primate parvenu et savant l'invention du mal...

Mais, Dieu... qu'il l'utilise bien...

Chapitre 3

L'air préoccupé, Hervé partit en claquant la porte. Je restai devant nos bols vides, face à la fenêtre, le dos chauffé par la cuisinière.

Ainsi, Neu-Cappel avait basculé dans le crime. Ses commères allaient se repaître des présomptions pesant sur Albert : suspect idéal, assassin présumé, bientôt offert en pâture aux ragots. Pas d'alibi, des mobiles quotidiens accumulés au fil d'un mariage dominé sans partage par sa femme. Un drame très ordinaire finalement, banal comme le mal : une querelle de ménage, un conjoint qui passe à l'acte, obtient réparation de vingt années d'humiliations et assène l'infirmation définitive d'une faiblesse rabâchée à longueur de vie commune… Albert, après avoir supporté la cohabitation avec la Richarde, aurait désormais à subir les conséquences de sa disparition.

C'était ainsi. Le monde des hommes venait de vivre la tuerie la plus monstrueuse de l'Histoire et n'entendait plus accepter le moindre petit homicide. Cinquante millions de morts en cinq ans, et mes paysans allaient se focaliser sur une mégère assassinée, fauchée parmi ses vaches d'un coup fatal dans la tête…

Ma paume me lançait. Les événements de la matinée se bousculaient dans mon esprit. Dehors, il pleuvait toujours. Sous le ciel blafard, la rue du village était déserte. Les murs de briques suintaient. Chacun protégeait l'obscénité de son intimité, restait chez soi à ressasser, incrédule et captivé, l'exécution de la Richarde. Tout bien considéré, la mort lui conférait une respectabilité inespérée : une fin romanesque d'une vie qui le fut si peu. Épreuve suprême, inclinant les têtes les plus curieuses, réduisant au silence les langues les plus venimeuses, reconnaissantes pour ce macabre divertissement qui distrayait l'ennui des mornes rescapés.

Pour me changer les idées, j'étudiai le plan laissé par Hervé. Faites un croquis quand vous ne trouvez pas, avais-je seriné à mes élèves. Le Kleindorp. La ferme des Richart, les maisonnettes louées à Émilienne et Jean... Derrière, le bois de la Becque, chasse gardée du comte... Les bois... Et si la réponse était là ?

L'après-midi s'étirait le long de cette journée pluvieuse et je n'avais toujours pas mangé. J'attrapai du pain, du fromage, un flacon de pain liquide et partis pour la troisième fois de la journée affronter l'extérieur.

Quand j'arrivai au Kleindorp, deux tractions noires stationnaient dans la cour des Richart.

Le dos à la fenêtre, Jean lisait dans son fauteuil.

– Bienvenue, m'sieur Georges ! C'est une surprise de vous revoir si tôt dans la journée ! s'exclama-t-il les yeux rivés sur la bière.

– Tu as dû avoir une autre visite, non ? dis-je en débouchant la bouteille.

Il ricana :

– L'adjudant Hervé ? Mon ami veut savoir qui a fait le coup… Je n'ai rien entendu, je n'ai rien vu. Il a été déçu.

Il ajouta, songeur :

– Il me paraît un peu perdu. Quelle étrange idée de s'engager dans la gendarmerie !

Je m'abstins de commenter la vocation d'Hervé.

– Déçu ? Pas sûr… C'est une information en soi.

Jean but. Son regard indiquait qu'il avait compris le sens de ma remarque. Puis il haussa les épaules d'un air perplexe :

– M'sieur Georges ! Ils ne vont tout de même pas accuser cet abruti d'Albert sous prétexte qu'ils n'ont personne d'autre à arrêter. Au moins une vingtaine de personnes auraient aimé descendre la Richarde. Une a eu le cran de le faire, c'est tout. Comme si Albert était capable de la moindre action courageuse ! Au fait…

Il me fixa :

– Vous avez peut-être intérêt à cacher votre pistolet… Après tout, Marcelle n'était pas vraiment votre amie… Vous avez pensé à ça ?

Le pistolet ? Bien sûr… Je gardai le silence en songeant aux événements du matin. Oui… Il leur faudrait un coupable. S'il fallait arrêter tous les gens qui avaient eu une intention criminelle, les neuf dixièmes de cette damnée planète seraient sous les verrous, me dis-je. Le « passeur à l'acte » devait avoir du courage. Paradoxalement, c'est lui qu'on punissait…

Jean n'insista pas :

– Mais, bon, la prison profitera à Albert : ça forme le caractère !

Non, décidément, même frappés, les Richart ne connaissaient pas la rédemption de leurs offenses.

– Ah là, Jean, je ne te suis plus. Tu ne voudrais quand même pas que les gens règlent leurs litiges comme au far-west… les armes à la main ?

– Il y a une autre manière ? grinça l'invalide, l'expression butée.

Il s'offrit une nouvelle rasade sans se donner la peine d'écouter ma réponse. Comme il avait changé ! Où était l'élève ouvert que j'avais aimé ? Son humour était devenu cynisme ; son dynamisme, provocation. Bien sûr, il devait en avoir autant à mon service. Son instituteur débordant de réponses patientes était revenu dans la peau d'un vétéran aigri et malade, fuyant les enfants comme un père endeuillé, pilonnant ses vieilles certitudes d'interrogations sans fin.

Jean bredouilla :

– Le mal, c'était elle… Elle n'a pas volé ce qui lui est arrivé. Dommage que pour Noël ce soit trop tard. C'est trop tard pour des millions d'autres…

Il but à cette oraison funèbre. Ainsi, dans le corps brisé de Jean, la guerre se prolongeait ; pour ses infirmes et ses morts, elle continuerait à jamais.

Il eut le sourire pathétique de l'homme qui a trop bu. La Richarde appartenait à l'ennemi. Presque agressif, il demanda :

– Cinquante millions de morts ! Deux fois la France rayée de la carte ! Et vous voudriez que je me lamente sur le sort d'une vieille grippe-sou ? Elle n'aura pas une larme, pas un regret !

Ses prunelles se dilataient derrière ses lunettes :

– Elle s'enrichissait pendant que les cobayes humains pourrissaient dans les blocks. Pourquoi ne me dites-vous pas ce qu'ils ont fait ?

Blessé, je ne répondis pas. Comment en vouloir à ce jeune homme brisé, tassé de frustrations sur sa chaise, vibrant de douleur sourde ? Ces jumelles… Ces regards stupéfaits de s'être trompés de monde.

– C'est difficile pour moi, Jean…

Je détournai la tête vers la fenêtre :

– Dans le block 10 où j'étais affecté, les médecins SS expérimentaient sur les prisonnières. Ils les appelaient leurs *Kaninchen*. Ils pratiquaient l'expérimentation humaine comme d'autres sur les animaux… Les programmes étaient ambitieux : la stérilisation de masse pour que les indésirables ne se reproduisent pas… Les médecins administraient aux cobayes des piqûres de caladium[1] : en intraveineuse, en intramusculaire, dans la colonne, les organes génitaux… C'était une thérapeutique épouvantable ; au bout de quelques jours, celles qui ne parvenaient plus à marcher étaient envoyées à la chambre à gaz.

Jean me jeta un coup d'œil gêné. Je continuai péniblement :

– La suite du programme concernait le traitement des Allemandes stériles. Les survivantes recevaient d'autres drogues pour retrouver leur fécondité cette fois… Je voyais leur peau se chiffonner, leur corps se décatir ; l'orbite de leurs yeux se creuser. Elles s'étiolaient au fil des jours. Jean, ces femmes devenaient totalement dénaturées.

Il ne pipa mot. Je conclus avec l'impression d'en avoir trop dit :

– Parmi elles, il y avait deux jeunes Hongroises. Des jumelles… de 16 ans, mais elles en paraissaient deux de moins : ce n'était que des enfants. Je les vois encore : elles portaient une longue robe de coton léger, frappée d'un triangle jaune sur la poitrine et d'une croix rouge dans le dos. J'ai tenté de les aider comme j'ai pu. Je leur donnais mes rations de soupe. Je cherchais des stratagèmes pour leur éviter les injections. Mais ce fut pire que tout. Le médecin-chef s'aperçut de mon manège et les harcela par simple jeu. Juste par malveillance…

---

1. Le caladium seguinum est extrait de la sève de la *schweigroher*, plante d'Amérique du Sud ayant la particularité de provoquer la stérilité des animaux.

Je ne sais si Jean entendit mon murmure :

– Aujourd'hui, leur regard me poursuit…

Jean connaissait mon affection pour les enfants. Il me jeta un coup d'œil troublé et s'excusa d'un mot, mais son expression resta maussade. Il se resservit et garda le silence.

Ce visage dur… Mes soupçons refaisaient surface. Et si c'était lui qui avait tué la Richarde ? Il savait parfaitement manier un pistolet. De chez lui, le porche de la ferme Richart apparaissait comme un carré noir, à peine plus gros qu'un livre. Je tentai de le visualiser, roulant sa vilaine chaise métallique sur le chemin boueux et défoncé pour débusquer sa victime dans l'obscurité de son étable. Improbable. Entrer dans la cour de Roste… Impossible. Non, je m'égarais. Pourtant… Quelque chose m'échappait.

Je l'abandonnai à ma bouteille et retournai chez moi bon an mal an, déprimé, secoué de hoquets de bière. Quelques paysans travaillaient aux champs, silhouettes floues derrière le rideau de pluie. Il fallait bien que la vie continue. Et là résidait l'injustice.

*

* *

Mais alors… Si ce n'est l'homme… Qui ?

Que pourrais-je répondre à ces regards sombres qui m'apostrophaient du fond de leur douleur pantoise ? Le mal est en nous, perpétuellement en devenir comme un cancer latent, égrainant son compte à rebours dans ce souffle court pour échapper à l'inéluctable.

Pauvre Plotin. Pauvres idéalistes ! Trop honnêtes pour voir en la souffrance une forge où l'on trempe les âmes, ils préfèrent s'en remettre à un au-delà immaculé.

La solution serait-elle là ? Un arrière-monde où l'âme quitterait le corps en s'affranchissant du chagrin, des désirs et de la crainte, où le péché ne pourrait s'incarner…

« Les maux existaient avant nous » affirmait Plotin, ignorant pourtant les dures lois de la sélection naturelle. Les crocs d'un chien, l'agonie d'un cochon, la violence d'une parturition, sont là pour nous rappeler que le mal s'inscrit dans l'histoire de la vie, de la naissance douloureuse et fragile, à la dégénérescence misérable prémortem. Ainsi, la vie serait souffrance, comme le prétendent les Orientaux et Kant avec son « Das radikal Böse » ?

Mais l'homme, quel est son rapport au mal ? Bipède pensant, bien après tant d'autres vies pétrifiées dans les strates de l'évolution… Rien d'autre qu'une créature capable de l'identifier, et suffisamment perverse pour l'exploiter.

Est-ce ma réponse à Sofia et Nadia ? La souffrance est-elle une donnée intrinsèque de la vie, juste préalable au péché, simple décision d'en user ? Le péché, facette morale du mal, en serait alors la conséquence bien avant d'en être la cause ?

Dans ce cas, l'homme n'aurait rien inventé… ni la souffrance ni la mort…

Chapitre 4

Durant trois jours, Hervé, accaparé par la première instruction criminelle de sa jeune carrière, demeura invisible. Dans le village, l'émotion de l'assassinat n'était pas encore retombée.

Ma main entaillée commençait à cicatriser. Mais cette blessure inexplicable restait une énigme au même titre que ma présence dans l'église, ce matin fatidique.

Il était presque midi, ce jour-là ; je me faisais réchauffer un bol de soupe quand j'entendis son pas lourd dans le vestibule. Hervé entra sans frapper dans la bonne tradition du village. Le souffle court comme à l'accoutumée, il déclara d'un ton forcé :

– Bonjour, m'sieur Georges, comment allez-vous aujourd'hui ?

– Pas trop mal, Hervé. Et toi ? Cette enquête ? Elle avance ?

Il eut une de ces grimaces dont il avait le secret, consistant à remonter les lèvres vers le nez tout en plissant le menton qui se crevassait de mille plis :

– Beaucoup moins facile que prévu ! Beaucoup, m'sieur Georges ! C'est pas évident…

Je lui tendis un bol de soupe aux pommes de terre en attendant la suite. Il ouvrit le tiroir du buffet et brandit une cuillère :

– Voilà, pour mes supérieurs, au départ, c'était simple : Marcelle avait été assassinée par celui qui avait tenté de l'abattre quelques semaines avant. C'était logique…

Il aspira bruyamment le liquide brûlant. Je m'exclamai :

– Logique, l'assassinat de la Richarde par Noël !

– Ben oui, m'sieur Georges. On avait déjà une plainte pour tentative de meurtre… Rien de plus évident.

Bien sûr… Pour Hervé, les problèmes se classaient en deux catégories : les évidents, agréables et rassurants, et les autres, suspects parce que difficiles, posés pour importuner les élèves. Je me fâchai :

– Évident ? Mais enfin, Hervé… Noël n'a plus de pied. Il va avoir soixante-dix ans, il n'a plus toute sa tête. Tu le vois débouler dans la cour, à fond dans sa petite chaise pour échapper au chien, abattre Marcelle d'un coup de pistolet, puis repartir comme il est venu ? C'est absurde !

Je retrouvais les accents acerbes de l'instituteur et, penaud, il baissa la tête.

– Oui, oui, je sais bien… Remarquez, m'sieur Georges, comme dit le lieutenant, on peut dire ça pour tous les suspects ! Pour Émilienne, pour Noël, pour Jean, pour vous, m'sieur Georges… Seulement voilà : il a bien fallu que quelqu'un fasse le coup, non ?

Il évitait mon regard. Je relevai son allusion :

– Pour moi ?

– Oui, enfin… Je disais ça comme ça. Vous avez eu des mots avec la victime…

– Nous en avions parlé, Hervé ! Et puis, tout le monde a eu, un jour ou l'autre, des mots avec la Richarde !

Il parut gêné mais n'ajouta rien.

– Bon… Et Noël ?

– Innocent, m'sieur Georges… répondit-il, piteux. Il avait un alibi. Pendant le meurtre, il déjeunait avec les pensionnaires de l'hospice d'Hazebrouck.

Je haussai les épaules :

– Et maintenant ?

– Ah maintenant… Nous avons un autre suspect…

Hervé prit un air mystérieux. Encore cette mine rusée et fuyante que je lui connaissais trop bien.

Je demandai :

– Albert Richart ?

– Ah, vous saviez ? s'étonna-t-il.

– Simple question de logique, Hervé. S'il est coupable, Albert Richart a commis l'erreur de ne pas abattre son chien avant sa femme…

Mon ancien élève souffla sur sa soupe avant de lâcher à regret :

– C'est aussi ce que dit le lieutenant.

Cette conversation m'irritait. Hervé poussait l'esprit de discipline jusqu'à adopter la pensée de son supérieur. Je me repassai la scène du crime en songeant à ce détail étrange qui paraissait échapper à tout le monde. Je rétorquai :

– Et si ce n'est pas lui ?

Le sous-officier faillit s'étrangler.

– Mais oui, continuai-je, vous n'avez aucune preuve… Comme pour Noël, vous allez le relâcher et ce sera le tour de qui ? Tu ne vas pas arrêter tout le village.

– Mais…

– Écoute, Hervé, cette affaire ne va t'apporter que des ennuis. Vous allez accumuler les erreurs et tu seras le bouc émissaire… Tu verras.

La sueur perlait sur son visage anxieux. Puis il se reprit et secoua la tête avec détermination :

– C'est Albert, m'sieur Georges. On va l'arrêter ce soir. Vous verrez, le lieutenant a raison…

Hervé avait toujours eu besoin d'un père. Je compris alors que ce n'était plus moi...

Les évènements se précipitèrent ce jour-là. En fin d'après-midi, j'eus la visite d'Yvonne avec un panier rempli de terrines.

– De quoi vous requinquer, m'sieur Georges, uh !

Uh... uh... Elle posa deux bocaux sur la table. Un instant, je crus qu'elle le faisait exprès, juste pour la satisfaction de martyriser mon estomac. J'ouvris le papier huileux qui les enveloppait et murmurai un vague remerciement.

– Vous savez la nouvelle, m'sieur Georges ? Ils ont arrêté Albert Richart.

Ses yeux perçants démentaient son ton catastrophé. Les *têtes pressées* n'étaient qu'un prétexte : Yvonne assumait son rôle de porte-parole de l'autorité.

La nouvelle ne m'intéressait pas plus que ses pâtés, fus-je à deux doigts de lui rétorquer. Mais lâchement, je demandai :

– Albert ? Il a avoué ?

Un détail ! Elle haussa les épaules avec condescendance.

– C'est une affaire de temps, m'sieur Georges...

Je restai silencieux. Sa bouche esquissait le sourire gras de la calomnie ; celle qui prospère sur la glaise des frustrations, nourrie des mauvaises haines contraintes, irriguée par ce faux courage consistant à emboîter le pas de la troupe...

Qu'elle s'en aille ! Je descendis les terrines dans ma cave où fermentaient déjà les autres. Juste pour ne plus voir ce regard fureteur dans les plis de son visage mou.

Le mal... encore et toujours, jamais aussi venimeux qu'en se faisant l'écho de la multitude.

Quand je remontais, Yvonne était repartie, sans doute chez un auditeur plus enthousiaste.

Quelques jours passèrent. Hervé était invisible. Le village bruissait de fausses nouvelles, de jugements provisoires selon la règle de tous les totalitarismes : la présomption de culpabilité. Seule certitude, Albert était entendu quelque part, à la maison d'arrêt d'Hazebrouck où on essayait de lui arracher quelque aveu.

C'était drôle… Instituteur, je ne me conduisais pas autrement. Une journée de juin 1938 me revint. Le souvenir lointain d'un autre Georges Liévin rempli d'envies et de certitudes en ces derniers cours précédant les ultimes vacances et une guerre que l'on redoutait sans y croire. Ce jour-là, pour alimenter la réflexion des élèves sur les miracles de la nature, j'avais ramené en classe une édition rare de ma grande encyclopédie du corps humain. C'était un ouvrage introuvable auquel je tenais avec une jalousie de jeune marié. Des centaines de planches de croquis, jaunis par le temps, émaillés de références latines.

Pendant la récréation, j'avais laissé le livre sur mon bureau. À mon retour dans la classe, je l'avais retrouvé par terre, retourné sur une dizaine de pages chiffonnées et déchirées. La colère m'avait tenaillé comme jamais. Qui avait fait ça ? Menaces, manipulations, promesses de châtiment collectif… Devant mon auditoire transi, je me livrai à un numéro de férocité inhabituel. Je n'avais de cesse de retrouver le fautif. Pourtant, rien ne pouvait rendre l'intégrité à mon livre. À l'évidence, la faute était involontaire.

La recherche du coupable n'est que l'expression de notre colère. Son aboutissement ne règle pas la souffrance commise, et n'entraîne aucune garantie concernant l'avenir. Il me semble même aujourd'hui qu'elle l'amplifie.

Un élève s'était dénoncé. Le pauvre bougre avait tourné les pages avec curiosité, et déséquilibré le gros livre qui était tombé sur l'estrade : l'enfant avait déchiré les pages en essayant de le retenir. Je l'avais puni avec un : « ça t'apprendra à respecter mes affaires ! ». Cette sentence n'avait aucun sens, je le sais aujourd'hui pour avoir vu dans les camps suffisamment de tortionnaires bien appris...

Le village retrouva peu à peu son calme morose. L'arrestation d'Albert relança les chroniques complaisantes de *L'Indicateur* sur les drames de la mésentente : les mobiles confortent ceux qui s'imaginent isoler ainsi les racines du mal. Dans le canton, la gazette se vendit comme les petits potins de la boulangère.

Une semaine après l'arrestation d'Albert, Hervé est revenu partager mon café matinal. Pour autant, il ne dévoila pas les secrets de l'affaire. Un mari tuant sa femme n'était plus qu'un fait divers offert à l'inanition cérébrale des croyants en l'âme humaine. Albert, l'auteur du crime ? Cette question aguichante pâmait la multitude en proie à une délectation morbide, à l'instant frémissant où elle allait frayer aux confins des frontières noires et froides du mal.

Hervé ne s'assit pas tout de suite. Je connaissais bien mon gendarme. Il y avait dans ses silences gênés un je-ne-sais-quoi du gamin inhibé.

– Alors, Hervé ? Ton enquête se déroule comme tu voudrais ?

Je lui servis un bol de café, puis ajoutai son nuage de lait. Il esquissa sa mimique non moins habituelle avant de lâcher :

– Richart n'est pas coupable ! Vous aviez raison, m'sieur Georges...

Il hésita. Hervé balançait entre la déontologie du gendarme et le besoin de s'épancher de l'élève.

– Il a nié... Et nous n'avons pas de preuve.

Il retrouvait ce ton geignard qui m'insupportait. Je haussai les épaules :

– Le tribunal jugera ! En fonction de son intime conviction… Ce n'est plus de ton ressort, Hervé.

– Non ! Le juge veut qu'on le relâche ! Oui, m'sieur Georges… Il a effectivement menti : il n'était pas chez lui au moment du meurtre. Il chassait dans les bois de la Becque ! Monsieur le comte a déposé plainte car Albert lui a tué un cerf. Il l'a surpris le matin du meurtre dans son bois. Albert n'est pas un criminel, juste un braconnier.

Je restai sans voix. Ainsi, le couple le plus riche du canton maraudait comme de vulgaires vagabonds en survie, victime de cette étrange infirmité du cœur consistant à toujours prendre sans jamais donner.

Cette nouvelle me dérangea. La reprise de l'enquête me perturbait. Cette gesticulation autour d'une mort ordinaire pour montrer aux citoyens que les pouvoirs publics reprenaient les choses en main… Le retour du bien en habit militaire.

J'observai Hervé dans son drap outremer boutonné. Pourquoi l'uniforme ? L'apparat de l'autorité. La loi des bleus après celle des gris…

Je soupirai : ces dernières semaines avaient été inutiles. Tout repartait à zéro. S'ensuivraient de nouveaux interrogatoires, le harcèlement pour tous ceux qui de près ou de loin avaient des raisons de détester la Richarde…

Novembre avait un avant-goût d'hiver cette année-là et mes promenades matinales se faisaient plus rares. L'humidité grise et froide et la glaise glissante des chemins se liguaient pour me confiner dans mon agoraphobie, sur fond du pessimisme voltairien les bons jours… et sur celui, outrancier, de Schopenhauer les mauvais jours.

Albert fut donc libéré et revint au Kleindorp aussi discrètement qu'il en était parti, retrouvant son statut de veuf respectable.

Le crime restait sans coupable. Un crime parfait, murmurait-on dans les chaumières, sans réfléchir à l'obscénité d'une telle association : perfection et meurtre… En tout cas, démasquer l'auteur d'un homicide sans coupable possible dépassait la compétence de la gendarmerie, tous grades confondus. Sans doute fallait-il d'abord comprendre pourquoi, avant de savoir qui…

Chapitre 5

Pour donner un second souffle à l'enquête, les autorités diligentèrent un jeune lieutenant nommé Secourt. Manifestement, Hervé avait perdu toute initiative. L'affaire du Kleindorp connut alors un développement imprévisible.

À partir du jour où il fut chaperonné par son officier, Hervé devint invisible. Le village était calme et silencieux. Tendu, chuintant de médisances murmurées derrière les tentures à carreaux, de pénitences basses dans le secret du confessionnal et de papotages semi-publics livrés avec le pain frais du jour aux commères institutionnelles.

Augustine s'épuisait à ses prières qui s'égaraient dans le vide du ciel comme les volutes d'une cigarette. Jean, quant à lui, s'abîmait dans l'amertume de la bière locale. Pour ma part, je me bornais à ces randonnées désespérées dans les rayons de ma bibliothèque et à la calligraphie de ma désolation impuissante sur mon cahier d'écolier.

L'après-midi était avancée. À la fenêtre de la cuisine, la nuit tombait déjà. La table était encombrée de livres ouverts et de notes éparses. Je relisais Burton et ses remèdes utopistes quand j'entendis la clinche de ma porte d'entrée. La silhouette épaisse d'Hervé s'encadra alors dans l'embrasure. Contrairement à l'habitude, il ne s'assit pas et resta campé, les jambes légèrement écartées dans sa posture faussement assurée. Raide comme la justice, rouge comme un gigot, il me tendit en bredouillant une convocation à la gendarmerie :

– Désolé, m'sieur Georges… Heu… Le lieutenant veut vous voir à Hazebrouck demain matin… heu… À titre de témoin bien sûr…

Il haletait. Malgré sa gêne, il était parvenu à maîtriser sa voix mais je voyais combien sa démarche lui coûtait. Un coup d'œil sur le courrier frappé du drapeau tricolore et je restai calme. Je le fixai sans tenter de dissiper son embarras. Finalement, je secouai la tête :

– Moi aussi, je suis désolé, Hervé ! Tu diras à ton lieutenant que je ne sors pas en ce moment. Et certainement pas pour aller à la ville.

Il cilla. Ses genoux fléchirent. Sa voix franchit immédiatement une octave. Il protesta de son ton geignard :

– Vous ne voudriez pas qu'il vous fasse chercher, m'sieur Georges ! Le lieutenant a pris l'enquête en main… Et vous savez, il n'est pas tendre ! Il va aussi convoquer Jean.

J'eus la vision de la prochaine Une de l'*Indicateur des Flandres*. Une mauvaise photo de Jean dans sa chaise encadrée de justiciers. Et moi menotté, baissant les yeux à la lumière du jour comme un coupable…

– Pas question !

Je m'approchai de lui :

– Vous allez laisser Jean tranquille ! Tu ne penses pas qu'il a assez souffert ?

Tétanisé, Hervé baissa les yeux comme un élève puni.

– Jean ne peut pas bouger non plus. Raison de plus pour que ton lieutenant se déplace ! Alors, s'il n'est pas satisfait, qu'il vienne m'arrêter, j'ai l'habitude !

Le sous-officier se coiffa tristement de son képi. Trop furieux pour en rester là, je lançai :

– Albert, Noël et moi… Jean, pourquoi pas ? Il a abattu Marcelle de chez lui, peut-être ? À trois cents mètres ? Vous êtes fous, ou quoi ? Pourquoi pas Émilienne ou le curé ? Vous allez interpeller tout le village comme ça ? Des vieillards, des communistes, des infirmes ? Vous ne savez faire que ça : enfermer les gens ? Vous êtes tous des incapables !

J'avais crié et un silence pesant succéda à ma diatribe. Hervé me jeta un dernier regard perdu avant de s'éclipser sans répondre, dans un soufflement étouffé. Comme toujours, il allait faire son devoir.

Le lendemain, à la première heure, une voiture noire se gara devant chez moi. J'avais de la visite.

Hervé fit les présentations : le lieutenant Secourt paraissait un peu plus âgé que lui. Environ trente-cinq ans. C'était un homme sec, le visage long et les pommettes saillantes, le regard calme et précis du fonctionnaire qui a pris la mesure de ses responsabilités. Ses maxillaires se contractaient en permanence, broyant un chewing-gum imaginaire. Plus balourd que jamais, Hervé le suivait comme une ombre déformée et obséquieuse.

Les deux gendarmes me saluèrent sans me serrer la main. Je les fis asseoir dans la cuisine. Secourt refusa froidement le café que je lui offris. La mine triste, Hervé en fit autant. Le lieutenant jeta un coup d'œil indifférent à *L'Antéchrist* ouvert sur la table. Puis il repoussa l'ouvrage pour poser son képi avant de déclarer avec une courtoisie maîtrisée :

– Monsieur Liévin… Nous vous dérangerons le moins longtemps possible. Je sais que vous sortez d'une épreuve.

– Je vous écoute, dis-je.

– Voilà, monsieur Liévin… Nous enquêtons sur la mort de madame Richart. Pouvez-vous nous indiquer votre emploi du temps de la matinée du quinze octobre ?

L'officier gardait les yeux baissés sur son carnet de poche rempli de notes. Désarçonné, je réagis :

– Je suis suspect, c'est ça ?

– Il y a eu un meurtre, monsieur Liévin… Nous reprenons les investigations à zéro. Que faisiez-vous ce matin-là ?

– Ce que je faisais… Vous savez, mes journées se ressemblent beaucoup et tout cela remonte à un mois ! répondis-je après un instant de réflexion. Je suis en convalescence et je ne sors presque jamais.

Secourt griffonna quelques mots, avant de lâcher :

– Continuez…

– Voyez-vous, je suis agoraphobe depuis ma captivité. Je ne sors pratiquement pas le jour.

Il noircit son calepin pendant une minute comme si j'avais prononcé un discours. Puis il feuilleta d'un air concentré les pages précédentes en jouant des muscles des maxillaires. Le regard hypnotisé d'Hervé ne perdait pas un seul de ses gestes.

Après un long silence, le lieutenant reprit en secouant la tête :

– Agoraphobe, hein ?

– Oui, lieutenant. Quand je suis à l'extérieur, je me sens oppressé…

– Exactement !

L'officier jeta un bref coup d'œil en direction d'Hervé :

– Pourtant, à l'annonce de la mort de madame Richart, vous avez suivi l'adjudant sur le lieu du crime.

Je haussai les épaules.

– Oui. Je pensais bien qu'Hervé vous l'avait signalé.

Décontracté, il acquiesça avant de rétorquer :

– Et ? Vous n'étiez pas… agoraphobe à ce moment-là ?

Je connus un instant de flottement. Non parce qu'il m'avait embarrassé, mais j'hésitai sur la conduite à tenir face à la tournure vaguement menaçante de l'interrogatoire. Cette fois, le lieutenant me scrutait. Je soutins son regard. Les yeux saillants d'Hervé accompagnaient nos échanges. Je décidai de durcir le ton :

– Je combats l'agoraphobie comme je peux. Je la ressens moins quand je suis accompagné.

Il nota scrupuleusement ma réponse.

– Pourquoi vous être déplacé pour voir ce crime ?

– Pour me rendre utile, lieutenant. D'ailleurs, nous ignorions qu'il s'agissait d'un crime. Nous pensions juste à un accident...

– Vous rendre utile ? Vous êtes médecin ?

Le ton était ironique.

– J'avais commencé des études de chirurgie avant la Grande Guerre. J'ai servi comme infirmier.

Nouveau griffonnage insultant.

– Et avant la visite de l'adjudant ? Vous n'étiez pas sorti ?

– Je n'en ai aucun souvenir, lieutenant.

Sa bouche dessina un demi-sourire sardonique. Avec son stylo, il visa avec décontraction un endroit de sa page pour y déposer un point ostensible, et claqua bruyamment son calepin pour indiquer qu'il en avait assez pour le moment. Sa main gauche s'empara de son képi, imitée par celle d'Hervé bien synchronisée. Ce mimétisme m'agaça :

– Vous allez interroger tout le monde, comme ça ? Le cafetier, le maire, le curé ? L'instituteur maintenant ? Vous voyez bien que nous avons besoin de paix après toutes ces épreuves !

– La paix ?

Il me tança de son air supérieur :

– Exact, on est en paix ! La guerre est terminée...

La mauvaise foi des évidences… Celles que l'on assène pour mettre les imbéciles de son côté. C'est à ce moment que je dérapai :

– Lieutenant, que faisiez-vous, pendant l'Occupation ?

Il garda un silence stupéfait. Je m'enferrai :

– Et le 6 juillet 42 ? Étiez-vous à Compiègne, par hasard ?

Il cilla sans comprendre :

– Le 6 juillet 42 ? Je faisais mon métier, monsieur Liévin…

Mon estomac se noua :

– Votre métier ? Ah ! la guerre a été faite par tous ces gens dont c'était le métier. Chacun pense avoir fait son devoir, y compris les gendarmes qui surveillaient la gare d'où nous sommes partis pour Auschwitz.

Secourt se leva d'un bond, imité sur-le-champ par Hervé, et tonna :

– Vous insinuez que je suis un collaborateur, un nazi, peut-être ?

– Les nazis ? Oh vous savez, rétorquai-je, nous sommes tous des nazis en puissance. Il nous a juste manqué d'être Allemands… Croyez-moi, les nazis étaient des gens très ordinaires.

Le sang se retira du visage du lieutenant. Il sembla hésiter : me gifler ou quitter la pièce. Il choisit la deuxième option.

– Très bien, monsieur Liévin… Restons-en là… *Pour aujourd'hui…* Nous reviendrons…

Ses derniers mots glacials sonnèrent comme un avertissement. Les deux gendarmes me quittèrent sans un regard. Ma porte claqua derrière eux comme celle d'une geôle. J'entendis la voix plaintive d'Hervé prendre ma défense : « Faites pas attention, mon lieutenant, m'sieur Georges, il est bizarre en ce moment… ».

Bizarre… Oui… Si bizarre que je m'étais retrouvé à l'église le matin du meurtre. Ce n'était pas un alibi : il y avait ce trou noir dans mon emploi du temps, cette main blessée et la voix récurrente qui me murmurait sa révélation libératrice : *Vous pouvez le faire…*

Nous reviendrons… Je n'en avais pas fini avec eux, je savais que le plus déplaisant était à venir.

*
* *

Une dernière nuit de liberté… Dehors, il fait froid, mais l'obscurité me rassure. Ils se trompent, tous ces enfants qui craignent les ténèbres : le soleil est plus cruel que la lune et les hommes sont plus dangereux que les fantômes…

Cette nuit, je connais votre réponse… Pourtant, je ne peux consoler vos sanglots épuisés. Je ne peux davantage vous réconforter : la vie est souffrance. La vérité terrible embrase jusqu'aux livres qui l'ont évitée : le mal est aisé parce qu'il est latent, enveloppant de menaces chaque seconde qui passe, frappant sans pourquoi, se nourrissant de jeunes filles, guettant les gibiers, faisant vibrer les vieilles…

Voilà la nouvelle : il broiera aussi vos tortionnaires. Ce jour-là, peut-être, votre souffrance taraudera leur conscience.

Ils intégreront ce que vous avez appris trop tôt : la vie est une aventure fugitive, sans fin heureuse. Seul le fil de l'oubli nous protège des vertiges du désespoir.

Froide, la nuit enveloppe cette maison que le silence dilate. Je ne dors pas et j'ignore s'il y aura un lendemain. Dans la cuisine surchauffée, la plaque du feu continu rougeoie, irradiant ses ondes et une odeur piquante de papier brûlé.

Il est minuit, l'heure du mal en sommeil. Le feu ronronne et claque. Je regarde les livres étalés sur la table : ils n'ont rien empêché… parce que rien n'est possible. Ces philosophes n'ont pour excuse que leur propre mort, la nuit où ils se sont tus.

Aristote s'enflamme dans le foyer : « Que l'homme cherche à s'immortaliser… ». Voilà bien le leurre… Je jette un deuxième livre dans les braises pourpres. Le feu feuillette le Léviathan d'Hobbes… « Le mal est relatif. » Mes paumes glacées s'ouvrent à ses premières flammes.

Chapitre 6

La pièce était dépouillée. Un cube parfait sans fenêtre, tristement éclairé par une ampoule nue au bout d'un méchant fil torsadé. Quatre chaises, une table, les barreaux d'une porte verrouillée de l'extérieur projetant leurs ombres rectilignes sur les murs blanc sale.

Depuis mon arrivée à la maison d'arrêt d'Hazebrouck, mes sentiments étaient anesthésiés. La précipitation des évènements m'avait plongé dans une indifférence autodestructrice. Qu'importait d'être privé d'une liberté trop encombrante ? Les trois années de captivité sans autre motif qu'un vague délit d'opinion m'avaient ôté toute capacité de révolte physique. Mille jours d'agonies répétées avaient eu raison de mon instinct de survie. Je me sentais juste sursitaire à un point confinant au suicide ; la perspective même de la guillotine me semblait abstraite et anecdotique.

Personne… Le temps s'était suspendu. Les enquêteurs m'avaient abandonné à cette culpabilité évidente soulignée par l'arrestation, les menottes, la tête baissée de celui qui a renoncé. Je les imaginais, perquisitionnant ma maison, fouillant mon passé, dressant tous ces éléments à charge pour l'hallali triomphante qui les feraient se sentir forts et beaux.

Les heures s'égrainaient et seule la fatigue me montait aux yeux. Mais les gendarmes avaient sous-estimé mon endurance. Je regrettais juste mon cahier à carreaux saisi comme pièce à conviction. Étrange, car c'était le journal d'un homme qui n'en avait plus...

Secourt entra seul. Hervé avait échappé à mon interrogatoire. Le lieutenant s'installa face à moi ; visage fermé, il posa son calepin sur la table. Sans aucune allusion à notre accrochage de la veille, l'officier commença l'entretien d'une manière froide et neutre, sans manifester le moindre sentiment personnel :

– Avez-vous eu, monsieur Liévin, des contacts avec la victime dans les jours précédant son assassinat ?

Bien sûr... J'opinai :

– Oui. Je suis allé voir Marcelle Richart pour la convaincre de renoncer à l'expulsion de Noël, un de ses locataires.

– Et ? interrogea-t-il.

– Et ce fut un échec. Je n'ai pu éviter l'expulsion.

– Autrement dit, vous vous êtes querellés, monsieur Liévin ?

– La conversation a été brève. Je n'ai pas été reçu. En effet, elle a menacé de lâcher son malinois !

L'officier gratta cette information aussi méticuleusement que le reste :

– Le chien... Nous y voilà ! Vous étiez tout de même rentré dans la cour ?

– Non, lieutenant, le chien m'en a empêché.

Il avait une curieuse façon de noter mes réponses. Il tenait son crayon comme un peintre son pinceau. Cet homme semblait amoureux de son travail, jouissant du pouvoir conféré par les forces du bien. Un bon élève… Secourt travaillait pour l'ordre et les valeurs certifiées conformes : il appartenait à un monde où les vaches sont abattues devant les fermières et non l'inverse. Un monde où les cochons sont tués dans les cours de ferme et les cerfs dans les bois. Mais pas les fermières…

Fasciné par la représentation parfaite qu'il me jouait, j'observais ses maxillaires mastiquer ses questions, je suivais ses doigts précis tourner sans hâte les pages de son calepin. Je m'avisai que je ne l'écoutais plus :

– Pardon ? Je n'ai pas entendu votre question…

– Ce n'est pas une question, monsieur Liévin. Juste une remarque : je vous disais que vous aviez été aperçu en sortant de chez vous à six heures, le matin du crime…

Il feuilletait son carnet.

– Moi ? Qui vous a dit ça ?

– Mmmmm…

Il prenait son temps, savourant la victoire qui se dessinait dans un bruit de feuilles tournées méthodiquement :

– Votre voisine, Yvonne Quaeghebeur. La femme du maire, n'est-ce pas ? Elle vous a vu aussi sous le porche de l'église Saint-Éloi vers sept heures, le jour du crime. Or, vous aviez déclaré ne pas être sorti ce matin-là… Pourquoi cette subite dévotion, monsieur Liévin ?

Il me toisa de son œil métallique. Je baissai les yeux sans répondre. Dévotion… non bien sûr, mais une curieuse réconciliation dans un étrange sentiment de bien-être.

– Je vous écoute, insista-t-il.

Que pouvais-je dire ? Affirmer n'avoir aucune idée de la manière dont je m'y étais rendu ? Ce matin-là, être tombé dans un trou noir au milieu d'une fusillade imaginaire ?

Au bout d'un silence interminable, Secourt lâcha :

– Monsieur Liévin, vous sortez beaucoup plus que vous ne le prétendez…

Il ferma son calepin d'un geste sec :

– Bon ! Je dois vous informer que le juge a demandé la perquisition de votre domicile.

Coup d'œil coulissant pour apprécier ma réaction. Je restai muet. Il se pencha vers moi :

– D'ailleurs, vous sembliez vous attendre à notre visite : votre feu était rempli de cendres. On en a retrouvé des seaux ! Qu'avez-vous brûlé ?

*

* *

Les murs de la cuisine ont clignoté à l'oscillation des flammes. Le foyer a feuilleté une à une les pages de ces premiers livres. Le feu vorace se nourrit de ces feuilles agonisantes. Mon geste m'intimide.

Augustin : « le mal pour le mal... ». La corruption de l'âme... Sans regret. Je n'en ai plus le temps.

Dehors, la nuit profonde enveloppe le village endormi ; une poussière fine flotte déjà dans les rais du brasier.

Diderot... On ne sait de quoi se réjouir, ni de quoi s'affliger : le bien amène le mal, le mal amène le bien. Denis s'enflamme déjà... Ne pas se réjouir...

Leibniz... Il y a si longtemps qu'il a quitté le meilleur des mondes possibles.

Lactance et sa vaine colère de Dieu. Machiavel et l'usage de la cruauté. Montaigne : « Savoir accepter les maux de notre humaine condition... ». Rousseau. La bouilloire commence à gémir.

Sade : à quoi bon empêcher le crime... Spinoza, et sa comparaison... La plaque rougit de honte.

Thomas : le mal est privation. La somme théologique résiste à la flamme...

La chaleur sèche me pique la peau. Je passe le café dans une atmosphère de cendres volatiles. Dehors, l'aube réveille ma souffrance muette.

Il est six heures… Consumées dans le crématoire de la cuisine, ces justifications de l'injustifiable. Graciés, les rares auteurs à avoir reconnu l'insoluble défi du mal. Mon autodafé épargne Bayle : « L'histoire n'est qu'un recueil de crimes et d'infamies. ». Kant bénéficie aussi de ma magnanimité : le mal radical…, Voltaire : le glas de l'optimisme des théodicées, Zoroastre et son histoire…

Celui qui impose ses réponses est un tyran. Il n'y a pas de vérité en dehors d'une réalité où nous comptons si peu.

Je bois le café chauffé par l'oxydation de la pensée humaine. La bibliothèque de Jean s'est vidée. Augustine n'en époussettera plus les ouvrages avec ce respect des humbles pour les écritures.

Dehors, une voiture stationne devant ma porte.

Nadia, Sofia… Je pense à vous. Maintenant je sais et je peux vous écrire, ces lignes inutiles qui brûleront une autre nuit.

*
* *

– *Qu'avez-vous brûlé ?*

Le visage serein, rempli de patience, le lieutenant Secourt se racontait que, tôt ou tard, à force de secouer l'arbre de la vérité, le coupable tomberait comme un fruit mûr. C'était inéluctable, il le savait ; juste une question de temps… aurait susurré Yvonne.

Tous les mêmes, pensai-je. À jouer leur rôle avec talent, sans montrer le moindre doute, la moindre faiblesse. Cet homme ne connaissait pas Marcelle. Mais je le savais, ni la victime ni le coupable ne comptent vraiment. Un représentant de la force publique jouait son rôle jusqu'au bout, par orgueil, curiosité, mû par la sensation de puissance d'un pouvoir qui ne se discute pas.

Qu'avez-vous brûlé ? Il brandissait sa question, avec tranquillité, comme un pêcheur, sa ligne…

Je secouai la tête et murmurai :

– Brûlé ? Cela ne vous regarde pas.

Je ressentais les prémisses de mes vertiges. La froideur de son expression réactivait ma nausée et les murs de la cellule commençaient à se dilater. Mon corps se tassa sur la chaise, et je m'agrippai à la table. Je lâchai enfin :

– Cinquante millions de morts, lieutenant... Vous allez donc chercher tous les coupables ?

Il leva les sourcils à la stupidité de ma question. Puis soupira. Insensé... On l'avait sans doute prévenu.

– Vous cherchez qui... moi je cherche pourquoi, ajoutai-je.

Il eut un haussement d'épaules méprisant et rétorqua :

– On a trouvé également un pistolet chez vous. Que faites-vous avec une arme, monsieur Liévin ? Vous allez peut-être aussi me dire comment vous vous êtes blessé la main ? Vous n'auriez pas été mordu par un chien méchant, par hasard ?

Il brandit un morceau de gaze constellé de taches brunes, puis me dévisagea avec un demi-sourire ironique.

– Mais que vous arrive-t-il, monsieur Liévin ? Vous ne vous sentez pas bien ?

Que m'arrivait-t-il ? Mais le mal, bien sûr... La nausée grignotait mes dernières forces. C'était fini. J'aurais bientôt beaucoup de temps pour écrire. Mon interlocuteur pourrait poursuivre son combat universel. À ce moment, je pensai à vous, Nadia et Sofia. Vos visages apparurent accompagnés de l'Homme aux yeux révulsés. J'allais vous rejoindre. Ce serait tellement bien si le calvaire des uns atténuait le martyr des autres... Cette échappatoire n'était pas à la portée d'un instituteur de village.

Un haut-le-cœur, et je crachai un peu de bile sur le sol avant de déclarer :

– Inutile d'insister, lieutenant. Vous avez raison : je suis un assassin...

*
* *

Pour vous, j'avais brûlé ma bibliothèque. Vos regards perdus sur les murs nus du block avaient périmé deux mille cinq cents ans de pensée humaine. Ces sages persuadés d'élever l'âme n'avaient rien empêché… À quoi servent donc ces écrits qui survivent à leurs auteurs, puisque leur agonie souffle tous les fantasmes, abandonnant les lecteurs à leurs fausses espérances ? Si le spectre de ces écrivains revenait des limbes, ne seraient-ils pas les premiers censeurs de leurs chefs-d'œuvre ?

Non, il fallait les laisser dormir avec leurs manuscrits ou les brûler avec leurs encyclopédies : les mots insensés nous livrent leur inutilité et les questions leur stérilité : nicht warum… L'espoir est soufflé par l'impardonnable.

Je les rejoins. Socrate buvant la ciguë plutôt que de survivre à la bêtise, Bouddha s'éteignant de renoncement au bout de son désir, Lao Tseu humaniste tellement sceptique qu'on finit par douter de sa propre existence, Épicure érigeant le plaisir comme la seule réponse à l'éphémère.

D'où ils sont, ils savent maintenant que, telle la mandragore, le mal radical fleurit sur leurs tombes.

Chapitre 7

L'officier ne manifesta aucune surprise. Quelques secondes de silence suivirent mon aveu et le pli de sa bouche se détendit légèrement ; il baissa les yeux pour camoufler sa satisfaction et soupira. Une expiration inaudible pour exhaler le sentiment du devoir accompli, comme la pause du soliste après un mouvement difficile.

Puis, lentement, il se leva avec la noblesse d'un homme pénétré de sa valeur. Il me fixa sans animosité. Je lus dans ses yeux la condescendance pour un ennemi vaincu :

– Liévin, vous êtes prêt à signer votre déposition ?

Je n'étais plus monsieur Liévin… Le cœur au bord des lèvres, j'exécutai un vague hochement de tête.

Répondant à un mystérieux signal, deux gendarmes inconnus apparurent dans un grincement de gonds rouillés.

Ils installèrent formulaires et machine à écrire. Ma confession prit corps dans un roulement continu de caractères dactylographiés. Bien sûr, les écrits rassurent, tant notre esprit devine que le temps efface et brûle.

Secourt se taisait. Les deux enquêteurs m'interrogèrent d'un ton neutre et je répondis au diapason, dans un cliquetis de consonnes, de voyelles et de sonnettes de fin de ligne.

Déjà, je n'étais plus qu'un élément de la procédure.

Oui, j'en voulais à Marcelle Richart, cette femme sans éthique. Oui, je reconnaissais être sorti ce matin-là. Non, je ne me rappelais plus de mes actes au moment du crime. Oui, j'étais revenu blessé et sans aucun souvenir… Oui, j'étais un assassin… Oui, j'étais conscient de la gravité de mon acte.

Oui, oui, non… Leurs questions me dictaient mes réponses. J'aurais voulu crier : je ne me souviens plus ! Mais j'écoutais en simple spectateur ma propre voix prononcer les mots qu'ils voulaient entendre.

Désolé, je ne me souviens plus, je ne me souviens plus…

Je m'arrêtai à bout de souffle comme si j'avais réellement parcouru le chemin du Kleindorp. Dans une stridulation d'engrenages, mes confessions sortirent en triple exemplaire. Le gendarme dactylographe me relut d'une voix terne et trébuchante les mots simples de mes aveux.

Je signai dans un silence de mort avec l'impression irréelle que la guillotine se cachait derrière la porte. J'entendis alors cette voix douce qui me murmurait *Vous pouvez le faire…* Un haut-le-cœur au fond de la gorge, je demandai à mes geôliers :

– Qu'ai-je fait ?

Penché sur ma déposition, Secourt me jeta un bref coup d'œil. Il jugea inutile de me répondre. Son expression avait retrouvé son indifférence agressive. Sans compassion, dans la sécurité de son bon droit…

Il fit un bref signe de la tête et les deux gendarmes me menottèrent. Ils me conduisirent à ma cellule en traversant une forêt de képis où je croisai le regard dilaté de consternation d'Hervé.

La porte de la geôle se referma dans un bruit de fonte et sur un étonnant sentiment de sécurité. Six mètres carrés de ciment froid et humide, une meurtrière striée de barreaux scellés, un matelas dont la couleur disparaissait sous les taches : tel était mon nouvel havre de paix.

Par magie, la nausée s'estompa. Ma vérité m'apparut soudain comme un mur qui s'éboule. Je compris alors pourquoi ce cube gris éclairé d'une morne ampoule me rassurait : j'éprouvai la même quiétude que dans l'église… J'observai sereinement mon nouvel univers.

À Auschwitz-Birkenau, les dortoirs des détenus représentaient les seuls endroits de relative sécurité. Dehors, il y avait le feu des fours, la fourbure des chantiers, les tortures des laboratoires, et ces sentinelles omniprésentes qui faisaient exploser les têtes comme des trophées de foire. Par le même mécanisme de réminiscence que les soupes d'épluchures, le confinement représentait pour moi un peu d'apaisement…

Je m'allongeai sur la paillasse, la cervelle vide de toute pensée.

Je refusai de prendre un avocat. Cela déplut. La tête du coupable ne peut sauter s'il n'a pas eu sa chance : un gibier à qui les chasseurs laissent quelques longueurs, pour la beauté du sport et le goût de la conquête.

Alors, dans un bureau anonyme, quelqu'un commit d'office maître Declerck.

Une vingtaine d'année de moins que moi, la bouille ronde du bon copain à la blague facile, le regard facétieux où je ne lus aucune de ces aspérités que les gens se façonnent. J'ignorais s'il était compétent et je m'en moquais, mais avec sa casquette de prolétaire cachant une calvitie précoce, ses lunettes rondes de trotskiste, et ses ongles rognés d'adolescent, son authenticité me plut.

L'avocat me fit grâce des postures de l'homme de l'art qui ne rassurent que leurs auteurs. Il connaissait mon dossier. Avec des accents sincères, il tenta immédiatement de me persuader de plaider non coupable. Je lui mis les points sur les « i » :

– Maître, je n'ai aucun souvenir de ce matin-là. Plaidez la folie si vous voulez, mais plaidez coupable…

Il s'esclaffa d'un rire juvénile.

– La folie ? Alors, ça, monsieur Liévin ! Vous allez me faire croire qu'un beau matin, vous vous êtes levé dans une colère noire en décidant que la guerre n'était pas finie. Bon ! Vous avez enfilé votre treillis, vous avez empoigné un pistolet de votre arsenal, vous êtes sorti dans l'obscurité et vous avez battu la campagne, bravé le molosse le plus redoutable du canton avec la force de votre magnétisme et abattu froidement une fermière d'une balle dans la tête, à la barbe de son mari, de son malinois, de sa belle-mère, de ses cochons, de ses vaches et de tout le voisinage. Pan !

Il me visa de son index rongé.

– Et, blessé, vous êtes reparti en courant vers l'église, aussi rapide que Jesse Owens[1] alors que vos jambes vous portent à peine ! Et là, je suppose que vous avez confessé votre crime ? Vous, un athée notoire ! Vraiment lumineux !

Son sourire s'élargit. Il me dévisagea avec insistance :

– Franchement, cette distribution artistique ne vous va pas du tout ! Vous vous êtes trompé de rôle, monsieur Liévin ! D'une, la guerre est terminée et de deux, vous n'avez plus le physique du grenadier-voltigeur ! Encore moins du vengeur masqué !

Il leva les yeux au plafond en secouant la tête. En pensant à Jean, je murmurai :

1. Champion olympique du 100 mètres aux Jeux de Berlin en 1936.

– La guerre n'est pas finie…

Declerck ne comprit pas :

– Ah oui ! La Révolution marxiste, c'est ça ? « La propriété, c'est le vol ! » *et caetera* ? Dites-moi, monsieur Liévin : vous aviez l'intention d'assassiner tous les propriétaires fonciers ?

Avec jovialité, il détailla ma cellule. Ses lunettes étincelèrent sous l'ampoule :

– Vous vous plaisez ici ? C'est vrai que vous êtes agoraphobe…

Songeur, il me dévisagea longuement :

– Bon ! Vous êtes vraiment un coupable inespéré : conflit avec la victime, opinions radicales, déséquilibre psychique, mémoire défaillante… Et puis, vous êtes si coopératif ! Je suppose que vos opinions politiques ont effectivement pesé lourd dans votre inculpation.

– J'ai perdu toutes mes opinions, murmurai-je.

Declerck se pencha vers moi :

– Le lieutenant prétend que vous l'avez traité de nazi. Est-ce vrai ?

Je secouai la tête :

– Je lui ai juste dit que nous étions tous des nazis en puissance…

L'avocat m'adressa un regard interrogateur. Je m'expliquai :

– Des soldats… bolchevicks à l'est, fascistes au centre, démocrates à l'ouest. La docilité fait de nous tous des molosses apprivoisés.

Je détachai chaque mot :

– Maître, je suis parti en Pologne dans un wagon à bestiaux… Ce sont des gendarmes en képi qui ont fermé les portes. Pour moi, ils sont ici…

Son sourire s'effaça. Il éluda le sujet :

– Oui… Bon, la folie… Alors parlons-en : on m'a dit que vous étiez dépressif.

Il me scrutait.

– Qui ? demandai-je.

– Oh ! Vos concitoyens... Je fais mon métier et vous savez comme les gens adorent parler les uns des autres ! Ils disent que depuis votre libération vous tenez des propos incohérents. Certains parlent de blasphèmes et la déposition de la femme du maire est accablante.

Il guetta ma réaction avant de poursuivre :

– C'est une évidence ! N'oubliez pas, tout se sait au village. Alors, j'ai fait ma petite enquête. Beaucoup vous croient fragile. Mais certains sont sceptiques quand on leur parle de votre culpabilité. Leur instituteur, tout de même ! Qui a failli être médecin, en plus !

Je rétorquai :

– La respectabilité m'indiffère... Le monde est peuplé d'honorables assassins...

Je m'interrompis. Je voulais rester courtois. Cet homme ne voulait que mon bien, même s'il jouissait visiblement d'une affaire excitante. Il laissa tomber avec désinvolture :

– Bon, bon. Vous persistez dans votre système de défense ? La folie ? Et si ça ne marche pas ? Vous savez risquer la guillotine ?

J'acquiesçai avec indifférence. Cela aussi était l'évidence. Il fronça les sourcils :

– Attendez ! Il faut que vous compreniez ! La machine judiciaire est très lente, mais quand elle sera lancée, ni vous ni moi ne pourrons l'arrêter. Réfléchissez bien, monsieur Liévin.

Declerck quitta ma cellule après un dernier hochement de tête réprobateur.

Les gens du village me disaient fragile ; une manière gentille d'évoquer ma folie. J'imaginais Yvonne colporter la nouvelle de mon arrestation, comme pour Albert et

Noël. Je connaissais le scénario par cœur : papotages et silence entendus, distillation de commentaires définitifs, verdicts sans appel de la *vox populi* : communiste, dément, malade… assassin… Neu-Cappel devait bouillir.

Après le départ de mon conseil, je m'allongeai en méditant à cette ignorance que nous avons de notre propre image. Tellement polluée par nos postures, tellement masquée par l'hypocrisie souriante où les autres camouflent leurs jugements comme des armes dissimulées à l'ennemi.

Étais-je vraiment fou ? La question avait-elle seulement un sens ? Oui, j'étais sans doute fou, si l'on admettait qu'un homme ne peut détenir une vérité solitaire. Nous n'avions plus le libre arbitre depuis belle lurette : nous devions accepter notre rôle d'animaux sociaux sous peine de devenir des monstres. Même à l'époque où le monde avait basculé dans l'insensé, le pacifiste gardait pour lui seul une réalité que les autres rangeaient au rayon du rêve et de l'utopie.

Qui, dans ce contexte, était encore en droit de décider de la raison ? La démence d'un seul homme avait-elle encore une signification après cinq ans de délires collectifs ? L'objecteur de conscience assis en lotus au milieu d'un champ de bataille est-il fou ? « Oui, hurlent les combattants, il va se faire tuer ! » Et eux, qui crient à la folie ? Que font-ils, à risquer leur vie à tirer sur ordre, tous ces prétendus sains d'esprit, ces troupeaux victimes de l'aliénation collective ? Oui, décidément, la démence ne mesure que la solitude d'un homme, poursuivie du sillage nauséabond de la haine et du mépris de tous ceux qui n'ont pas son courage insensé.

Mais un fou est-il forcément un assassin ?

Je restais allongé sur le matelas dans ma cellule morne, étrangement serein entre ces murs suintants de moisissure. Parfois, je me prenais à rire tout seul ; enfin, presque seul, car dans le claquement de son œilleton, le guichet de la porte s'ouvrait sur le regard muet d'un gardien. *Schwein* ! *Schwein* ! Peut-être les geôliers riaient-ils aussi de me voir rire. Ainsi, ils auraient la certitude de ma folie et mon avocat serait content...

Je dus m'assoupir. Soudain, un cliquetis furieux de clés me réveilla. Deux gardiens SS pénétrèrent dans ma cellule. En laisse, les babines haineuses et la bave aux yeux, le berger de Marcelle les tirait vers moi.

« *Kusch*[1] *Roste* ! *Kusch* »

Ils me désignèrent en riant : « *Schwein* ! *Schwein* ! » Ils riaient, le chien grognait. L'un des SS s'approcha de moi pour me tirer les oreilles. « *Schlecht Schüller !* »[2] L'autre tira son pistolet et me visa la tempe en criant « *Mörder* ! *Mörder !* »[3] Ma cervelle éclaboussa le mur...

Je me réveillai la bile dans la bouche. Je ne riais plus. Ma cellule était obscure, la prison, silencieuse. J'attendis le matin, le corps figé sur la paillasse comme un cadavre à inhumer, trop nauséeux pour me rendormir, trop fatigué pour penser. Mon rire coincé dans la gorge et ma triste folie au fond du cœur...

*

* *

Cher Jean,

Je t'écris d'une cellule froide et humide. Persuadés des vertus de la punition, les pouvoirs judiciaires s'atta-

---

1. Couché !
2. Mauvais élève !
3. Assassin !

chent à malmener les cinq sens des brebis galeuses qu'ils privent de liberté.

Mais pour ce qui me concerne, cette torture légale est vaine : le soleil ne me manque pas, la soupe claire me comble, la paillasse solitaire repose mon corps éreinté. Ici au moins, les cerbères ne jouent pas à exploser la cervelle des récalcitrants. Nous le savons, « Le bien est le résultat d'une comparaison... » : Spinoza avait presque vu juste.

Je dois être un étrange prisonnier, assassin coopératif, prévenu soumis, détenu sans promenade, amoureux de sa cellule : une sorte d'idéal pénitentiaire.

Pourtant, je ne m'ennuie pas. Sur mon cahier d'écolier, j'écris une prose qui doit être lue par les censeurs comme le sera cette lettre. Qu'importe, puisque les mots ont démontré leur vanité.

Ils me croient fou. Comment pourrais-je leur en vouloir, tant je doute de mon propre jugement ? Toi et moi le savons, la folie mesure la solitude et la démence collective prend la forme respectable de la culture. Mais évidemment, ces propos ne sont pas recevables par ceux qui, pourtant, brûleront demain ce qu'ils adorent aujourd'hui.

Pour Pascal, le drame de l'homme consistait à ne savoir rester dans sa chambre. Mon problème, c'est l'extérieur. Comme ce pauvre Roste... Lui aboie, moi j'écris...

Je ne lis plus. Tu peux cesser l'envoi de ces ouvrages inutiles dont les seuls lecteurs sont les censeurs militaires plus soucieux de sécurité que de philosophie. Leur recherche se limite à une lime, un couteau ou une arme : pour eux aussi, la réponse au mal est absente des livres. Ils n'ont pas tort, car la vérité est un souffle qui ne se transmet pas.

Tu vas m'en vouloir. J'ai brûlé tous tes ouvrages dans ma cuisinière. Oui, un à un, je les ai enfournés dans mon feu, jouissant de la belle chaleur qu'ils ont dégagée. Je n'ai épargné que les plus pessimistes.

Depuis 2 500 ans, ils ne valent pas plus que des ragots de l'estaminet…

La littérature est aussi inutile que les mathématiques que tu détestes tant.

Aujourd'hui, j'ai ma vérité. Je vais te la confier, mais elle restera mienne : elle ne se partage pas.

La voici : le mal a une réalité objective. Ceux qui parlent d'illusion, de comparaison, de privation ne semblent pas savoir qu'ils évoquent une montagne dont le formidable dépasse toutes les représentations. Devant son ombre menaçante, le bien semble tellement fragile, obstacle souvent dérisoire. Schopenhauer écrivait que le bonheur se caractérisait par l'absence de malheur. C'est le bien, simple privation de maux qui prend dès lors une réalité subjective.

Mais quelle est donc la nature de ce mal ? Physique, morale, métaphysique ?

Tu me connais assez pour savoir que, face à mes élèves, je n'ai jamais craint de répondre : « Je ne sais pas… ». Aussi, contrairement aux idéalistes qui ont publié des encyclopédies de l'inconnu, avec une assurance invérifiable, je me contenterai de dire : « La métaphysique ? Je ne sais pas. ».

À la lumière de ma compréhension, il me semble établi que la souffrance existait bien antérieurement à l'homme, pathétique comme ces courses de bébés tortues se hâtant vers la mer sous la menace des prédateurs, impitoyable comme ces grands félins d'Afrique, violente comme la chaîne alimentaire des océans, sanglante comme la parturition, triomphante comme la mort. Plotin disait le mal attaché à la matière. Je le vois plutôt inséparable de la vie, tant il est vrai que, en dehors d'elle, le mal et le bien perdent toute substance.

Jean, voici ma vérité : la vie est source du mal parce qu'elle est une lutte permanente pour repousser l'inéluctable, et que la naissance annonce déjà sa condamnation à mort.

S'il m'était encore donné d'enseigner, je ne saurais transmettre que l'effroyable paradoxe de l'existence : machine fantastique et fugace, forgée au fil des ères millionnaires, titulaire d'une conscience impuissante à ralentir le temps. Trois milliards d'années d'évolution cosmique pour accoucher d'une petite fille et la faire disparaître quelques milliers de lunes plus tard…

Alors l'homme, me diras-tu ? Quel rôle endosse-t-il dans cette tragédie ? Oh ! Sa responsabilité est écrasante et chaque leçon d'histoire que tu retenais si bien nous le serine. Avec quel talent il s'est emparé de la fragilité de la vie des autres pour oublier la sienne : le péché, mal moral, ne s'appuie que sur cette tentative de diversion. Immanquablement, l'outil de ses ambitions d'éternité se retournera contre lui.

Cher Jean, les guerres ont soufflé sur la planète un vent aussi terrible que celui d'une comète. Pour moi, le cratère ne se refermera jamais… La civilisation humaine peut aujourd'hui se targuer d'un niveau de catastrophes digne des grands cataclysmes astronomiques ; et comme il en est des séismes, des éruptions et des déluges, les guerres sont des maux sans coupables. Depuis longtemps, les conséquences sont déconnectées des actes, dans un monde où le mangeur n'est pas le chasseur.

La collectivisation du mal est le brouillard qui escamote les criminels. Évidemment, il est si simple d'accuser les vaincus, et de consacrer les hommes de devoir. Ces devoirs dont on fait les guerres, qu'ils s'appellent honneur, discipline, qui font de nous des chiens méchants… En ce sens, je ne peux contrarier Rousseau quand il désigne d'un doigt accusateur la civilisation.

Surtout quand l'ère atomique consacre les tueurs en uniforme pilotant des bombardiers baptisés au nom de leur mère…

Mais peut-être est-ce sans importance, puisque les crimes ne sont qu'une simple anticipation : les bourreaux rejoignent si vite leurs victimes.

Ne t'inquiète pas pour moi, Jean, je vais aussi bien que possible. Si le passé me hante encore, le présent me repose et le futur m'indiffère. Quelques semaines plus tôt, à l'église, pour la première fois depuis des années, j'ai éprouvé un étrange bien-être. Était-ce la compassion soufflée par le Christ agonisant ? Était-ce la satisfaction d'un terrible acte libérateur ? Ou encore la nécessité de vivre le présent face à l'éphémère ?

Je ne sais pas.

Prends soin de toi. Affectueusement.

Georges Liévin,
l'instituteur assassin.

Chapitre 8

Le chapelet des jours égrainait ses actes de procédure comme autant d'offices à la justice des hommes. Interrogatoires, convocations, longues attentes se succédaient. Policiers, procureur, avocat, juge étaient les acteurs de cette comédie dont j'incarnais le spectateur absent, comme un gamin rêvassant à l'écoute de ces commémorations bizarres d'une Histoire qu'il ne comprend pas.

« Battez-vous ou vous êtes fini ! » m'exhortait mon jeune avocat, à qui j'aurais aimé faire plaisir. Ce jeune homme refusait d'entendre que j'étais déjà fini…

Les nuits s'écoulaient, conformes et inutiles. Je ne les comptais plus. À l'extérieur, le monde avait fêté l'avènement de l'année 1946, glorifiant une après-guerre imaginaire. Et je savais…

Puis les jours devinrent des mois. Entre mes murs nus, je devinais seulement que mars s'étirait de brouillards et de giboulées. Le premier printemps de paix devait sans doute exhiber ses précoces bourgeons aux heureux amnésiques de Flandre.

Entre temps, la pauvre Augustine avait appris la mort de son petit-fils à Dachau. La guerre n'en avait pas terminé de ses tristes échos... Mais les barreaux de ma cellule m'en préservaient.

La reconstitution fut programmée un matin d'avril. Ce jour-là, le glaive et la balance – juge d'instruction, substitut, capitaine de gendarmerie, etc. – s'étaient donné rendez-vous à Neu-Cappel.

Mon avocat m'assistait, ami compatissant, la bouille circulaire contrariée de défiler parmi cette mascarade. Il me chuchota :

– Il est encore temps de leur dire, monsieur Liévin. Après, il sera peut-être trop tard... Soyez raisonnable !

Raisonnable ? Comment l'aurais-je été puisque j'étais fou ? Je tentai un sourire rassurant et soutins longuement son regard ulcéré, sidéré par mon indifférence granitique.

Il était tôt. Le jour se levait à l'heure du crime. Le cortège de voitures avait envahi la place de la Victoire. Les platanes bourgeonnant s'agitaient dans les rafales. Le village semblait dormir : estaminet fermé, les grilles des fermes closes. Seuls, les coqs faisaient retentir leurs chants comme s'ils voulaient tirer la commune de sa torpeur.

Je sortis de voiture, flanqué de deux gendarmes ; les mains attachées, les yeux clignotants, je ressentis le vertige de l'espace oublié. L'aube de six heures rougeoyait l'orient où un vent soutenu chassait les nuages. Son souffle me saoulait, les menottes me meurtrissaient. Je sentais peser la surveillance cachée des sentinelles camouflées derrière leurs rideaux. Mais que faisais-je donc là, l'estomac nauséeux et la tête vide sur ce corps flageolant ?

Nous quittâmes la place dans une procession silencieuse en direction de ma maison. Devant chez moi, un gendarme inconnu et mon avocat m'encadrèrent. J'écoutai docilement les dernières recommandations du juge, puis retournai sur mes pas et commençai le trajet vers le Kleindorp. Juste derrière, suivaient le procureur et le lieutenant, un greffier qui lorgnait sans arrêt sa montre, une petite compagnie de fonctionnaires en uniforme et quelques représentants de la presse locale chapeautés et agités. Un instant, la forte silhouette d'Hervé émergea du cortège de képis.

Nous dépassâmes en silence le monument de l'église et le cimetière où reposait ma victime, et sortîmes du village en défilé étiré dans un bruit de pas raclant la terre. Le cœur incertain, je conduisais cette procession funèbre sans cercueil.

La plaine apparut, s'étirant à l'infini sous le ciel pesant. Nous atteignîmes la chapelle des Sept Douleurs. Derrière la porte, l'ombre de la Vierge à genoux attira mon regard. Je m'arrêtai et tentai de distinguer la crucifixion dans l'obscurité. Mon escorte s'immobilisa à son tour. Je songeai à ce jeu enfantin si prisé par les écoliers : un, deux, trois, soleil…

La nausée… Je la sentais monter comme une vague : le dégoût qui me grignotait l'estomac, inéluctable, menaçait de m'emporter. Je repartis brusquement. J'entendis mes suiveurs m'emboîter le pas.

Je défilai ainsi devant la maison de Jean, heureux de n'y voir personne. Chacun se terrait chez lui en surveillant le passage des pèlerines noires.

Puis ce fut le chemin vicinal vers la grande ferme Richart. Les flaques maculaient les pantalons, les champs verdissaient déjà de germes tendres. L'affligeante promenade se poursuivait au milieu du Kleindorp qui n'avait jamais vu pareil troupeau.

La nausée encore et toujours… 6 h 30… Le soleil surgit en projetant nos ombres gigantesques sur le chemin. Il eut raison de moi et je vomis un peu de bile dans le fossé. Le cortège s'arrêta dans le silence. Mon avocat se précipita pour me soutenir.

Je repris mon chemin de croix en direction du lieu du crime. Face à moi, la masure d'Émilienne ; je distinguai le visage de la vieille derrière son carreau.

Arrivés aux abords de la cour, nous fûmes accueillis par des aboiements furieux. La porte de l'étable était ouverte. Il me sembla apercevoir l'ombre fugitive d'Albert s'encadrer à sa fenêtre. À l'intérieur de l'étable, un gendarme mimait ma victime. J'arrivai à hauteur du panneau de majuscules rouillées : CHIEN MÉCHANT. En me voyant, attaché à sa niche, Roste se tut, l'œil fixe, les oreilles aux aguets, les canines découvertes. Sa robe rousse flamboyait au soleil levant.

Ma suite se figea sur le chemin. Je m'approchai du cerbère, seul, sous la pression des regards officiels dans mon dos. Indécis, je fis un pas, puis deux, à l'intérieur de la cour. Ayant alors dépassé le stade de la peur, je m'avançai vers l'étable. Le malinois s'égosilla de rage au bout de sa chaîne, découvrant des gencives rouge vif hérissées de crocs claquant dans le vide.

Je sortis un pâté apporté pour la circonstance et le posai lentement devant le molosse ivre de fureur. La bête retourna la terrine et la projeta à quelques mètres. Incapable de faire un pas de plus, je restai indécis au milieu de la cour devant le chien enragé. Conscient qu'il me fallait prendre une décision, pour complaire à mon public, je sortis le pistolet factice et visai la silhouette noire qui s'agitait dans l'obscurité de l'étable, à dix mètres de moi.

Mon geste provoqua chez le chien un accès de furie insensée. Le berger belge se dressa vers moi sur ses pattes arrière. Sous le poids et la puissance, la niche chancela et la chaîne se rompit dans un claquement métallique. Le chien libéré me fit face. Paralysé, je n'eus même pas un geste de recul.

Après cette fraction d'éternité où la vie comprend qu'elle bascule, il sauta vers moi dans un bond prodigieux. Dans mon dos, deux coups de feu claquèrent. Roste eut un bref glapissement de douleur et retomba sur le sol. Inerte, je contemplai le corps convulsant à mes pieds, la gueule ouverte d'où s'échappait un filet de sang.

Il y eut alors un grand calme pétrifié, ponctué des oscillations de la niche. Tétanisé, je demeurai devant le berger agité des spasmes de l'agonie, mon stupide jouet à la main. Je percevais le silence pesant de l'assemblée. Hervé s'approcha et acheva le chien d'une dernière balle dans la tête, en éclaboussant le pavé de la cour.

Les jambes m'abandonnèrent, mon pistolet de bois tomba sur le pavé. J'eus le temps de voir Albert sortir de sa maison en courant comme un diable de sa boîte et se précipiter sur son chien mort, baignant dans son sang. Il prit le cadavre dans ses bras et, comme si j'avais tué sa femme une seconde fois, me jeta un regard de désolation avant de rentrer chez lui, semant un chemin de petites gouttes rouge vermillon.

Hervé rangea le pistolet dans son étui. Je cherchai autour de moi un point d'appui et mon avocat se précipita juste avant ma pirouette dans l'oubli.

Ami, entends-tu le vol noir des corbeaux sur la plaine,

La haine à nos trousses et la faim qui nous pousse, la misère…

Mon évanouissement fut de courte de durée. Dans mon crâne, une radio avait déclenché son couplet entêtant. Au travers d'un brouillard, je distinguai quelques officiels. La ferme Richart était investie comme si elle avait perdu la guerre. On perd toujours la dernière guerre. Au milieu de la cour, le juge d'instruction consultait d'un air contrarié. Près de lui, son greffier grattait son rapport à côté du panneau « CHIEN MÉCHANT ».

Silences, conciliabules, chuchotements, grognements des porcs de l'étable… Une clameur informe me parvenait aux oreilles encore bourdonnantes des trois coups de feu. *Schwein ! Schwein* ! La cour se dilatait et se rétrécissait comme un cœur qui bat. Je tremblais de tout mon corps sur le pavé glacé. Maître Declerck me releva et me conduisit doucement dans l'étable pour me faire asseoir sur les ballots de paille.

À l'abri, je me sentis mieux. Nos regards se croisèrent dans la pénombre. Les mains jointes, il se campa alors devant moi et m'intima d'une voix basse et ferme :

– Monsieur Liévin, cette comédie a cessé depuis longtemps d'être drôle. Je sais que vous êtes innocent… Et il va vous falloir changer de version. Sinon, si vous persistez à vous prétendre coupable, c'est d'avocat dont vous devrez changer…

Chapitre 9

– Monsieur le juge, mon client revient sur ses aveux invraisemblables. Cette inculpation est une farce !

Pour la deuxième fois, je me retrouvai dans le bureau du juge. À mes côtés, l'œil brillant derrière ses foyers ronds, Maître Declerck affichait une mine déterminée.

Le magistrat était un homme sec, entre deux âges. Devant lui, deux piles de documents érigeaient leur intitulé macabre : HOMICIDE MARCELLE RICHART. Manifestement, si farce il y avait, elle n'amusait pas l'homme de loi. L'expression sévère et inaccessible à la fantaisie, le quinquagénaire m'apostropha d'un air excédé :

– Pensez-vous que la justice soit une comédie, Liévin ?

Je le pensais bien un peu, mais je préférai taire cette opinion provocante. Cet homme ignorait-il les jeux de rôle dont nos existences étaient remplies : comédies ou tragédies, selon que notre discernement décrète d'en rire ou d'en pleurer ?

Je baissai les yeux et choisis le silence. Mon conseil vint à mon secours :

– Monsieur le juge, mon client est fragile ! Il n'a pas supporté la pression des interrogatoires. C'est un homme brisé par la guerre, la déportation. La gendarmerie n'en a tenu aucun compte : elle a même profité de son affaiblissement pour lui arracher des aveux. Cet homme a subi le martyr de trois années de camp de concentration !

Je rectifiai en levant l'index :

– D'extermination…

L'avocat me jeta le bref coup d'œil remontrant de l'instituteur à un élève turbulent, puis continua d'apostropher le magistrat :

– Monsieur le juge ! La gendarmerie s'est focalisée sur une banale querelle de voisinage entre mon client et la victime, pour un motif parfaitement anodin. Georges Liévin est instituteur, connu pour son dévouement : avant la Grande Guerre, il avait suivi les premières années de spécialisation en chirurgie à la faculté. Et pour tout remerciement, ses concitoyens l'ont déporté pour délit d'opinion ! Regardez-le ! Sa place est dans une clinique, pas dans une prison… Il n'a rien d'un tueur !

Il me désignait d'une main tendue comme si je n'étais qu'une loque humaine. Je protestai une nouvelle fois :

– Le motif de la dispute n'était pas anodin !

Les yeux du juge ne me quittaient pas :

– On raconte beaucoup de choses sur ces camps… Entre les dissimulations allemandes et la propagande alliée, il est difficile de connaître la vérité. Vous dites qu'il s'agissait de camps d'extermination ?

J'acquiesçai :

– Oui, monsieur le juge…

Voyant qu'il attendait une suite, j'enchaînai avec réticence :

– Difficile… Même ceux qui en reviennent sont pris pour des fous ou des menteurs…

Sans hostilité, le regard du magistrat restait rivé au mien. Je conclus brièvement :

– Il s'agissait bien d'extermination… Excusez-moi, ces histoires ne sont pas racontables…

Le magistrat hésita :

– Je me demande… Tout cela est troublant… Vous paraissez effectivement révolté. On m'a dit que la captivité vous avait beaucoup changé.

Il prit quelques secondes de réflexion avant de changer de sujet :

– Et ces cendres que la gendarmerie a retrouvées dans votre feu ?

– Ce sont les cendres de ma vie… murmurai-je.

M'entendit-il ? Le juge haussa les sourcils d'un air interrogateur. Je devais m'expliquer :

– Toute ma vie, monsieur le juge, j'ai cru à la culture, à la philosophie, à la médecine : tout ce qu'il est convenu d'appeler l'humanisme. Avant la première guerre mondiale, je voulais me consacrer à ce que je pensais être le plus beau métier du monde : médecin. L'histoire en a décidé autrement, alors j'ai opté pour l'enseignement : apprendre aux enfants les vertus de la civilisation et de l'ordre.

Je jetai un coup d'œil à mon avocat qui cligna des yeux pour m'encourager :

– L'ordre ! J'ai vu l'ordre à Auschwitz, monsieur le juge… L'ordre… La médecine aussi !

Je me mis à rire tout seul. Les deux hommes se dévisagèrent d'un air gêné :

– Le *Lager* était géré par des médecins. Ils triaient les *Häftling*[1] en deux colonnes : les femmes, les enfants, les malades, les plus âgés étaient condamnés à la chambre à gaz. Les autres au travail. Oui, c'étaient des médecins, monsieur le juge… Des praticiens qui développaient les méthodes d'euthanasie, pratiquaient des expériences sur des cobayes humains.

1. Häftling : prisonniers.

Je haussai les épaules :

– L'eugénisme et toutes ces théories raciales ont été développés par des chercheurs. Les trois quarts des médecins allemands ont appartenu au Parti national socialiste... Alors !

Je m'interrompis. Le juge intervint avec conviction :

– Je comprends que vous ayez perdu la foi. Mais tous les médecins ne sont pas nazis. C'est une idéologie qui a vécu.

Je soufflai en regrettant aussitôt mon insolence :

– Pfff... Les thèses racistes ont été développées par des chercheurs américains. À New York, il est plus facile d'immigrer pour les Anglo-Saxons que pour les Méditerranéens du Sud !

Nouveau coup d'œil perplexe du magistrat. Je m'exclamai :

– Rien de nouveau : le mythe aryen est vieux de cinq mille ans !

Le juge répéta sa question :

– Alors ? Vous avez brûlé quoi ?

– La civilisation est un leurre. J'ai brûlé les livres qui prétendaient le contraire.

Le juge prit quelques notes, puis décida de suspendre son interrogatoire. Il laissa maître Declerck développer son argumentation. Désormais, les deux hommes poursuivaient leur débat comme si j'étais absent du bureau. Moi-même les écoutais distraitement, en simple spectateur d'une pièce où chacun jouait son rôle : lui, le juge scrupuleux, l'autre l'avocat diligent. Pour ma part, je ne faisais plus qu'un piètre coupable.

Vous avez changé... Le juge prétendait-il que j'étais devenu quelqu'un d'autre ? Il avait tort, je n'étais plus personne : un mort en sursis, une âme moribonde restée quelque part dans le block 10 d'Auschwitz-Birkenau.

Mon volubile conseil poursuivait sa démonstration :

– La reconstitution est édifiante, monsieur le juge ! Vous n'avez jamais vu un prévenu moins crédible : sans même la force de tenir son pistolet ! Il est aujourd'hui évident que le chien de la victime n'a pu être amadoué par mon client !

Amadoué, « le chien » ? Pauvre Roste, comme tant d'autres, martyr de son devoir, persuadé de la vertu de son combat…

Encouragé par le silence du juge, l'avocat s'enflammait :

– … ce qui rend le meurtre invraisemblable puisque mon client était dans l'incapacité à pénétrer dans l'étable. Quant à l'hypothèse qu'il ait pu descendre une cible mouvante d'un coup de pistolet en pleine tête, en restant dans la cour, à plus de dix mètres… Sauf votre respect, monsieur le juge, elle serait risible s'il ne s'agissait d'un assassinat ! Il est évident que mon client, même dans l'hypothèse où il l'aurait souhaité, n'a pu tuer Marcelle Richart… Non seulement la gendarmerie n'a fourni aucune preuve, mais sa version des faits est irréaliste ! Le dossier à charge est vide !

Le juge observa :

– Maître, concernant le chien, votre argument vaudrait pour tous les suspects. Effectivement la présence du molosse représente une difficulté dans cette affaire. Aucune preuve ? Mais que faites-vous des dissimulations de l'accusé, de sa sortie mystérieuse, de sa blessure inexpliquée ?

L'avocat ne se démonta pas :

– Je vais y arriver, monsieur le juge. Mais avant, je voudrais revenir sur la victime. Tout le monde sait que le couple Richart s'est enrichi pendant l'Occupation, ce n'est pas à la justice que je vais l'apprendre ! Les revenus en nature de leurs fermages et leurs métayages étaient négociés auprès des grossistes du marché noir ! En toute immoralité ! Alors, monsieur le juge, étant donné le nombre de personnes entretenant des griefs contre Marcelle Richart, croyez-vous qu'un instituteur détruit par la déportation aurait commis, lui plutôt qu'un autre, ce que tous les patriotes avaient envie de faire ?

Le juge haussa les épaules :

– S'il fallait abattre tous les accapareurs et les profiteurs !

Le propre d'un bon avocat réside dans l'affirmation tranquille de sa vérité. Maître Declerck farfouilla dans ses affaires et, cachant mal sa jubilation, il sortit un document de sa serviette. Théâtral, abattit une nouvelle carte :

– Monsieur Liévin a maintenant un alibi !

Le juge resta impassible devant l'enthousiasme de l'avocat :

– Continuez, maître.

– Sauf votre respect, monsieur le juge, j'ai fait le travail que n'a pas voulu mener la gendarmerie. J'ai interrogé les gens du village. J'ai parlé avec le maire, sa femme, Albert Richart et tous les autres... J'ai rencontré aussi quelqu'un d'extérieur : une jeune femme...

Il me regarda :

– Elle s'appelle Marieke. Elle n'habite pas au village. Elle est infirmière itinérante mais rend parfois visite à sa tante Augustine entre ses missions... et elle n'en manque pas par les temps qui courent ! Vous connaissez cette jeune femme, monsieur Liévin ?

J'acquiesçai d'un signe de tête. J'avais aperçu de temps en temps cette Marieke, la fierté d'Augustine, toujours pressée comme si elle devait sauver le monde. Mon avocat se pencha vers le juge :

– Cette femme se rendait à la ville ce matin-là pour prendre le train de six heures trente. Elle a trouvé monsieur Liévin blessé, évanoui en pleine campagne en proie à un malaise. Elle m'a dit l'avoir pansé d'un morceau de tissu contenant quelques provisions. Puis elle n'a pu que le raccompagner à l'église car elle était en retard. Il tenait à peine sur ses jambes…

Le juge pinça les lèvres :

– Tout cela est à vérifier !

Un silence. La mine contrariée, le magistrat compulsa le dossier.

J'avais écouté l'histoire de l'avocat comme si elle ne me concernait pas. Mais au mot « église », j'avais ressenti une onde bienfaitrice. *Vous pouvez le faire…*

C'était donc cette femme qui m'avait encouragé à avancer ?

Le juge sembla enfin trouver ce qu'il cherchait :

– Quelle heure était-il, maître ?

– Entre six heures et six heures et quart… Et puis cette femme a attrapé le train de six heures trente, monsieur le juge.

Ainsi, j'étais à l'église au moment du crime. La prise de conscience de mon innocence faisait lentement son chemin.

Le juge ne s'avouait pas encore battu :

– Je trouve que vous oubliez un peu vite les déclarations que vous avez faites, Liévin ! Si vous n'avez pas commis ce crime, pourquoi ces aveux ? Vous avez pensé au mari ? Vous trouvez ça bien ?

J'hésitai… J'aurais pu répondre que Richart n'était pas le mari accablé par le deuil que le juge évoquait…

Vous trouvez ça bien ? En finir… Toutes ces phrases inutiles m'accablaient. Je déclarai avec lassitude :

– *Bien* ? Il y a longtemps que j'ai oublié le sens de ce mot, monsieur le juge… Non, je ne trouve rien de *bien*. Pourtant, mon avocat vous dit sans doute la vérité : la violence me fait vomir, monsieur le juge… Vomir… Réellement…

Le juge me fixait. Je secouai la tête :

– Oui, je n'ai aucun souvenir de mes actes ce matin-là. J'ai réellement cru avoir tué Marcelle... Et je ne sais pourquoi cette Marieke m'a conduit à l'église.

Suivit un long silence. Puis maître Declerck rangea son dossier avec l'expression pensive de l'homme de devoir. Il marmonna une dernière phrase presque inintelligible. Je dus tendre l'oreille :

– La culpabilité... Une culpabilité métaphysique, savamment entretenue par le lieutenant Secourt. Mon client a vu trop d'horreurs qu'il n'a pu empêcher.

*

* *

À Sofia et Nadia,

C'est fini, j'ai tenu ma promesse. Je le sais aujourd'hui, vos bourreaux sont les instruments perpétrant le mal parce qu'il est facile, s'étourdissant de pouvoirs afin d'oublier qu'il les emportera eux-mêmes. Ce jour-là, vos tortionnaires auront peut-être alors une ultime pensée pour vos regards terminaux...

Le mal est chevillé à la vie ; il est l'expression de notre vulnérabilité, de chairs, de sang, consumant à chaque goulée, à chaque battement, un temps si éphémère. Oui, le mal est une réalité dont la violence résulte d'un choc : la fragilité de la vie contre le farouche désir de la défendre.

Voilà ma réponse. Aucun combat n'y changera rien. Il faut l'accepter puisque c'est un élément fondamental inscrit dans tout être vivant qui repousse la mort en se livrant à la détresse de l'espoir.

Aucune autre alternative qu'admettre sa souffrance, et par là reconnaître celle des autres.

La violence ne résout rien. Elle ne fait qu'ajouter au drame de la vie : la folie de l'homme révolté cherchant dans ses chimères une échappatoire, croyant atténuer la violence qu'il devine par la violence qu'il fait, plombé par cette conscience terrible de sa prédestination absurde et passagère.

En posant l'énigme de vos calvaires avec tant d'acuité, vos persécuteurs zélés ont tenté l'oubli de leur propre souffrance en s'enivrant de puissance dérisoire, sans réaliser n'être qu'à peine plus cruels que leur propre destin…

Juste efficaces.

Je vais bientôt quitter ma cellule. Je me prépare au départ sans entrain : j'ai perdu mes ailes comme d'autre leurs jambes. Ici ou ailleurs, mes jours vont s'écouler sans autre bonheur que de ne rien espérer, dans la sagesse obligée de Montaigne, « accepter les maux de notre humaine condition », plombé néanmoins par le devoir de mémoire envers vous.

Où puis-je aller ? Je serais un fugitif, poursuivi par un crime virtuel : un coupable qui s'accuse ne peut être tout à fait innocent. Il est contaminé.

Nous le sommes tous…

Chapitre 10

Je fus libéré moins rapidement que je ne l'aurais cru. Trois semaines de contre-enquête s'écoulèrent avant que la gendarmerie réticente et rancunière ne conclue à l'exactitude de mon alibi… Maître Declerck me rapporta que Marieke, la nièce d'Augustine, avait été interrogée. La précision de son témoignage et la notoriété de cette jeune femme dévouée emportèrent la conviction du juge. Il fut bien établi qu'elle m'avait conduit à l'église ce jour-là, à l'heure où Marcelle s'était écroulée, foudroyée dans son étable. Elle confirma aussi mon état second…

Les autorités l'acceptèrent avec d'autant plus de réserve que le mystère de cet assassinat impossible restait entier. Une opacité renforcée par des mois d'infructueuses investigations.

Non seulement, le lieutenant Secourt me libéra sans excuse, mais il laissa planer la menace formulée d'une procédure pour entrave à la justice, à moins que ce ne fut pour outrage à magistrat. Ou les deux… À la fin de notre dernière entrevue, il m'avait dévisagé longuement en jouant des maxillaires, son regard fouillant dans le mien afin de débusquer la vérité au tréfonds de mon cerveau malade.

La porte de la maison d'arrêt se referma derrière moi dans un bruit assourdissant. Ébloui par le soleil printanier, écrasé par la haute façade de la prison d'Hazebrouck, je restai immobile sous le porche de pierres blanches.

Une traction stationnait le long du mur d'enceinte. Maître Declerck m'attendait. Je me dirigeai vers lui d'un pas hésitant.

L'avocat courut à ma rencontre et me tendit sa main poupine.

– Montez, monsieur Liévin. Je vous raccompagne chez vous.

Nous sortîmes de la ville sans prononcer un mot. Mon chauffeur conduisait avec prudence sur les routes étroites et sinueuses ; l'âme désorientée, je regardai défiler les champs de blé blanc de Flandre, les houblonnières sortant de leur sommeil hivernal. L'horizon brumeux noyait les monts dans un halo diffus.

– Vous devez vous en douter, la gendarmerie n'a pas mis beaucoup de bonne volonté à vous libérer. Cela n'a pas été trop long, monsieur Liévin ?

Je sortis de ma torpeur et répondis que tout cela m'était indifférent.

Mon conseil hocha la tête pensivement :

– En vérité, vous avez saboté leur enquête... Remarquez, après les arrestations du vieux locataire, puis du mari de la victime, l'affaire était déjà mal engagée ! Trois arrestations, puis trois libérations, c'est beaucoup pour une seule victime ! Je vois difficilement la gendarmerie reprendre l'instruction après tout ce temps.

Il ajouta d'un air mystérieux :

– L'assassin peut dormir tranquille...

Négligeant mon mutisme, il conclut d'un ton jovial :

– Mais ce qui compte, c'est que nous ayons convaincu le juge. Je peux vous dire qu'il n'était pas très à l'aise d'avoir imposé six mois de captivité à un homme comme vous…

La traction emprunta un chemin cahoteux. Nous longeâmes le manoir de la Becque et son bois privé, dépassâmes le Kleindorp avant de pénétrer dans le village tranquille : quelques paysans sur leur machine, des ménagères en courses.

À hauteur de l'église, je demandai :

– Maître, pouvez-vous me déposer ? J'en ai pour quelques instants.

Il stoppa la voiture devant le porche :

– Très bien, je vous attends…

La nef était plongée dans l'obscurité. Je me dirigeai à l'endroit exact où j'avais repris mes esprits quelques mois plus tôt : le pilier de moellons gris à côté du Christ en croix. Je m'assis pour contempler le Messie. Puis je fermai les yeux, tentant de retrouver la douce émotion de ce matin-là.

Rien… Le Sauveur ne me sauvait plus. Ou peut-être mon cœur s'était-il refermé…

J'entendis alors un léger bruit près de l'autel. Une petite toux particulière, humble comme une excuse. Je me penchai et aperçus le chignon blanc de la vieille Augustine, agenouillée une dizaine de chaises plus loin.

La pauvre femme restait immobile, figée dans la méditation. Bien sûr, elle aussi butait sur le mur de sa souffrance. Elle aussi s'épuisait à la combattre avec les armes dérisoires qu'elle s'autorisait : la foi et la soumission en l'Unique…

Je me collai silencieusement derrière le pilier dans la crainte qu'elle pense que je la guettais. Je m'apprêtais à quitter l'église, quand j'entendis le bruit d'un chapelet explosant au sol dans un cliquetis d'Ave…

Augustine s'agenouilla pour ramasser son rosaire éclaté. Je me précipitai vers elle pour l'aider et elle s'effondra dans mes bras en sanglotant.

Je l'emmenai en larmes, laissant derrière nous le pavé de l'église jonché de grains de prières...

Après avoir raccompagné Augustine, maître Declerck me déposa devant chez moi.

Mes vieux démons m'y attendaient : le poids du voisinage, les fenêtres noires ouvrant leurs yeux anonymes. Le village sournois se repaissait du spectacle de mon retour.

Je tournai avec ostentation le dos à la maison du maire. Nul doute qu'Yvonne, mirador incontournable, devait filmer mon arrivée de ses petits yeux fureteurs en mastiquant du saucisson.

Attentionné, l'avocat porta mon sac. Dans la cuisine, le feu claquait de chaleur. Un parfum de café se mêlait à l'odeur de bois brûlé. À l'étage, de discrets frottements trahissaient une présence.

– J'arrive !

Des pas rapides dévalèrent l'escalier. Cette voix féminine... fraîche comme un rire, gouailleuse comme un enfant, harmonieuse comme une adolescente, si loin des accents vulgaires, des éclats forcés, si loin des braillements paysans... Un écho réfléchi par les parois d'une église : *Vous pouvez le faire...*

Tout me revint alors en mémoire : la fusillade de la chapelle, les arbres tendus vers le ciel dans un geste désespéré, la chute dans le fossé, ma main heurtant un silex anguleux comme la mort... Et puis, tout ce silence angoissant rompu par cette voix d'ange qui me disait : *Mon Dieu, que vous arrive-t-il ?*

Que nous arrivait-il ? Mais la guerre, bien sûr... La folie qui s'abat sur le monde des hommes, transformant les vainqueurs en chasseurs et les vaincus en gibier...

Mes yeux ne l'avaient pas vue, mais ma peau avait senti ses gestes habiles me soutenant, me pansant la main et l'âme. Mes oreilles entendaient encore ses mots de réconfort m'exhortant à me redresser, à marcher. *Vous pouvez le faire…*

Taille fine, corps menu dans une blouse grise, elle apparut à la porte de la cuisine et je la reconnus : Marieke. Sur son visage clair encadré de mèches blondes, ressortaient deux turquoises me fixant avec une curiosité non dissimulée. Mais je contemplais surtout son sourire, lèvres minces entrouvertes sur des petites dents blanches qui disaient :

– Désolée, on ne vous a peut-être pas prévenu, j'ai pris le relais de ma tante…

Je ne répondis rien. Je m'abandonnai au vide délicieux de ce timbre rafraîchissant… à cette dévotion si peu catholique que j'avais cru trouver dans les yeux révulsés du Nazaréen. Marieke… C'était donc vous ? Et non pas quelque sainte descendue d'un paradis inventé par ma douleur ? Bien plus qu'un alibi, étiez-vous une réconciliation possible ici-bas ?

Elle salua mon avocat. Ils devisèrent ensemble comme s'ils se connaissaient depuis toujours. Je les écoutais sans mots dire. Elle raconta son interrogatoire par les gendarmes, les questions du juge, les pièces à produire pour prouver ses déclarations : la gaze de son panier à provisions, son ticket de train. De temps à autre, ils me jetaient un coup d'œil amical qui signifiait : « Vous voyez bien que vous n'êtes pas un assassin, juste un innocent qui s'ignore… »

Innocent, moi ? Je me serais esclaffé, mais je choisis de cacher mon ivresse… Innocent, moi ? À éclater de rire, tant jadis, j'aurais volontiers déchiré une sentinelle d'Auschwitz de mes propres dents, tant je l'aurais poussée ensuite avec une rage fervente dans son four, tant j'aurais été béat de piloter un B 52 et de larguer la terreur de l'atome au-dessus de Berlin. Innocent ? Moi qui rêvais de charger les orgues de Staline avec les camarades et de pendre au crochet du boucher les assassins de Paul en me gaussant de mon pacifisme imbécile…

Innocent ? Quelle importance ? Je me pris sans doute à sourire, les yeux emplis de l'énergie bienveillante que je puisais dans le regard azuréen de Marieke… Vous me portiez si loin de ces turpitudes.

Je les interrompis brusquement :

– Marieke !

Elle m'adressa un sourire solaire :

– Oui, monsieur Georges !

– Marieke… Pourquoi m'avez-vous conduit à l'église ?

Elle rit :

– Mais parce que vous me l'avez demandé ! Vous ne vous rappelez plus, monsieur Georges ? Il faut dire que vous étiez dans un état second ! Vous vouliez absolument vous asseoir sous le grand crucifix et je vous y ai juste aidé.

Je ne répliquai rien. Maître Declerck haussa les sourcils. La jeune femme nous servit du café, puis, comme une charmante sorcière, disparut à l'étage. J'écoutai les bruits de son ménage appliqué, n'entendant que distraitement mon avocat parler de Paul, du village, de Marcelle, de moi… de tout ce qui ne me concernait plus. Ainsi, j'avais souhaité me retrouver sous la monumentale triple nef…

Marieke redescendit et prit congé, m'offrant la caresse de sa main. Il ne resta dans la pièce chaude qu'une fraîcheur résiduelle et la persistance rétinienne d'un certain sourire. Je ne me reconnaissais plus…

Mon jeune avocat continuait son papotage à propos de Paul. Je tentai une repartie :

– Vous savez, maître, dis-je enfin, la disparition de Paul n'est pas une surprise pour moi. Augustine me fendait le cœur à entretenir son espoir, à s'épuiser en prières à faire exploser son rosaire. Il valait mieux qu'elle sache. L'espoir nous rend tous fous… Que dire de plus ?

L'avocat grignota pensivement un sucre et ne répondit pas. Je déclarai :

– Maître… Je vous remercie pour tout…

Il me jeta un regard inquisiteur :

– Ne me remerciez pas, je n'ai pas eu grand-chose à faire puisque vous êtes innocent.

– Innocent ? Qui est innocent ? demandai-je confusément.

– Selon la loi, tous ! Sauf le coupable, monsieur Liévin. Le coupable…

Declerck termina son sucre, puis vida sa tasse avant d'ajouter :

– Drôle d'affaire, oui : crime impossible, faux suspects… Je pense que tout le monde s'est trompé de mobile, monsieur Liévin. Le juge avait raison : on ne tue pas les gens sous prétexte qu'ils se sont enrichis, on n'abat pas les fermières pour des histoires de loyer.

Je haussai les épaules :

– Je ne crois pas à la rationalité de nos actes.

L'avocat secoua la tête :

– Non ? Vous avez tort ! Le coupable savait très bien ce qu'il faisait !

Il inspira profondément :

– Pendant votre détention, j'ai rencontré tout le village, je crois. Certaines langues se sont déliées, sans doute parce que je ne porte pas de képi…

Mon conseil sourit d'un air satisfait avant de poursuivre :

– Peu croyaient en votre culpabilité. En fait, petit à petit, j'ai compris que l'assassinat de Marcelle avait des racines beaucoup plus anciennes. L'Occupation, bien sûr... Pendant que vous surviviez en Pologne, il se passait des choses ici aussi, beaucoup de choses...

Declerck se tut comme s'il en avait trop dit, partagé entre le devoir de réserve et la tentation de la révélation. Je l'encourageai :

– Expliquez-vous, maître.

Il secoua la tête :

– Ce n'est pas mon rôle. Je travaillais pour vous, la vérité n'était qu'un problème secondaire. Mais, réfléchissez : deux déportations, un jeune homme paraplégique, puis cette fermière tuée par balle... Ce n'est pas mal pour un si petit village ! Je me suis dit : et si tout était lié, hein ?

Derrière leurs carreaux ronds, ses yeux brillaient malicieusement. Petit à petit, mon bien-être laissait place à un certain trouble. Je m'inquiétai :

– Jean ? Paul ? Marcelle ? Quel rapport ?

L'avocat chercha ses mots :

– J'ai eu une longue conversation avec votre ancien élève et ami Jean après la nouvelle de la mort de Paul. Ils étaient compagnons de résistance, bien sûr, vous le savez. Mais vous ignorez que Marcelle les avait surpris ensemble en venant chercher son loyer...

– Et alors ? demandai-je, mal à l'aise.

J'entendais mon cœur battre un peu plus fort.

– Et alors ? souffla l'avocat. Vos amis se répartissaient l'arsenal du train allemand qu'ils venaient de saboter...

Mon estomac se tordit. Malgré la chaleur de la cuisinière, mes mains se mirent à trembler et mon visage se vida de son sang. Ainsi, Marcelle avait surpris les résistants devant leur butin de guerre ! Une sourde inquiétude s'empara de moi :

– Maître, qu'avez-vous dit à Jean ?

L'homme de loi me dévisagea. Il hésita, puis lâcha d'un ton rassurant :

– Très peu de choses. Le minimum, je vous assure. Je lui ai juste rapporté ma conversation avec Albert Richart. J'ai fait part à votre ami de ma conviction que les Richart, beaucoup trop compromis dans le marché noir, n'avaient eu aucun contact avec les Allemands. Ils ne font pas de politique, ce n'est pas bon pour les affaires.

– Au contraire, maître. Vous venez de m'expliquer que Marcelle avait surpris les résistants.

Mon interlocuteur leva les bras d'un geste fataliste :

– Monsieur Liévin, tout se sait au village !

Je bondis de ma chaise. Je lui pris le bras brusquement et répétai en criant presque :

– Maître, qu'avez-vous dit à Jean ?

Il pâlit, chercha à se dégager :

– Presque rien, vraiment. Juste que Marcelle était innocente et avait été abattue par erreur…

Il ajouta sur la défensive, comme un étudiant corrigé :

– C'était mon devoir, monsieur Liévin ! Il fallait empêcher qu'Albert ne connaisse le même sort…

Paniqué, je le lâchai brusquement :

– Conduisez-moi au Kleindorp… Immédiatement…

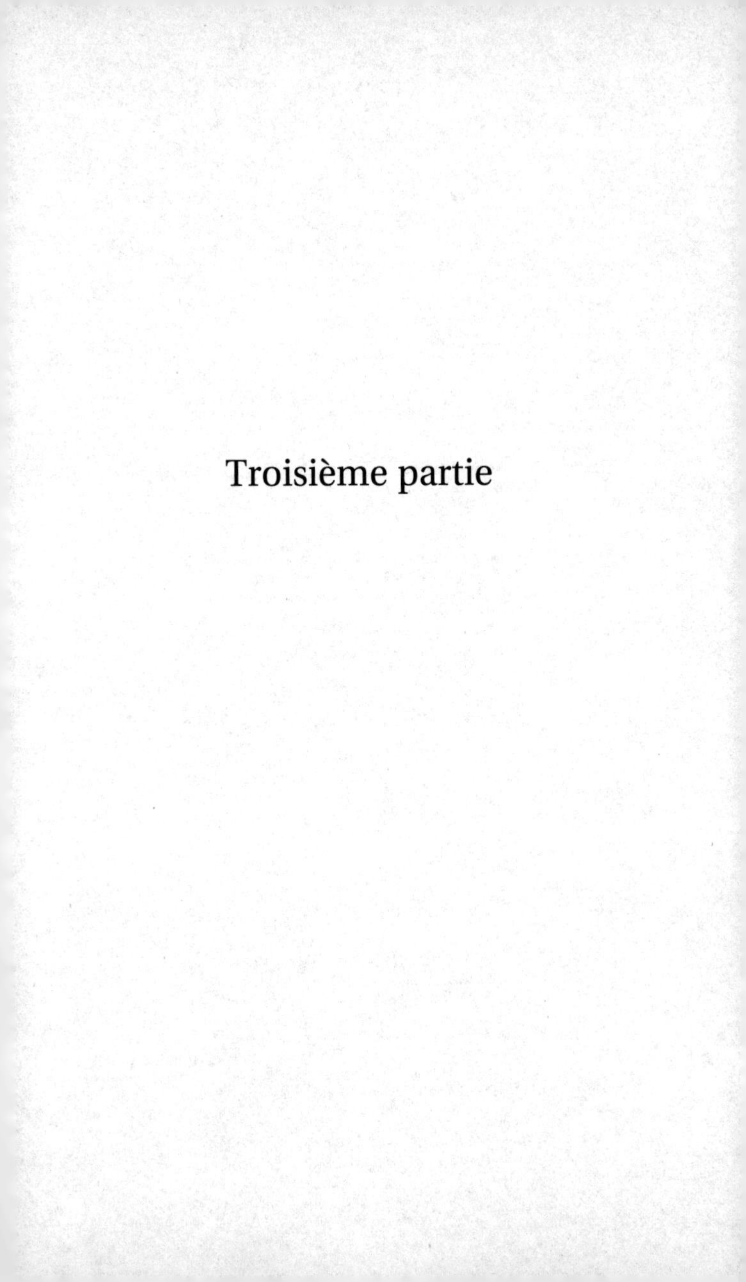

Troisième partie

Que valent les discours moralisateurs débités par les défenseurs d'une singularité maléfique, imaginant le mal simplement tapi dans les nids infectieux, génération spontanée de la distraction divine ? Le mal qu'ils affirment reflète l'expression d'une idéologie dominante. À l'heure où le pays vainqueur se pose en défenseur de la paix mondiale tout en empilant ses stocks d'uranium, à l'heure où, sur la terre de Pologne, les libérateurs bolcheviks recouvrent la peste brune de leurs ukases rouges, à l'heure où un pauvre mutilé de guerre croupit dans les mouroirs du gouvernement, rien n'est résolu.

Maintenant, je sais : le mal est en nous, chevillé à notre éphémère et notre fragilité de vitrail façonnée par les ères. Il est facile, comme une pierre lancée dans une rosace d'église, par jeu, par haine, par goût du pouvoir, par maladresse, par adresse… Toutes ces mauvaises raisons de détruire auxquelles obéissent les enfants pour se prouver leur existence et leur pouvoir. Il est intense, lancinant, strident comme l'appel d'une vie menacée, réalisant la fuite de son avenir.

Le mal provoqué n'est que l'illusion de la puissance, quand le cri des autres couvre notre angoisse du temps qui nous ronge. Il rôde, dans ce non-dit de la menace, caché à l'autorité qui ne le partage pas.

Le mal banalisé… Oui, parfois, il fleurit comme une pandémie au vent de l'impunité qui déculpabilise, du pouvoir qui s'enivre de haine pour une victime couinant comme un porc sacrifié en vue des banquets incertains de notre avenir obscur… jusqu'à l'ultime repas de ces spectres portant le masque de notre propre visage.

Alors, qu'est-ce que le bien ? Rien que de très discutable. À l'image de ces pâtés, dévorés avec voracité par Yvonne comme si nos repas étaient une revanche… Ils seront recrachés par un convive d'une autre culture.

Qu'est-ce que le mal ? Un plat empoisonné que nous vomirons tous…

Bien, nom masculin : éclipse occasionnelle du mal radical.

Voilà ma réponse, mes chères jumelles, n'en déplaise à Spinoza et aux dictionnaires…

Nadia et Sofia, je vous quitte une seconde fois. J'ai respecté ma promesse. Je referme le livre du mal sur cette victoire éphémère. Je pense à vous.

Chapitre 1

Nous démarrâmes en trombe. Sans un mot, nous prîmes la direction du Kleindorp. Je ne quittai pas la route des yeux et m'interrogeant tout bas : Jean, qu'as-tu fait ?

Devant la fermette, la voiture freina au beau milieu d'une flaque, projetant une gerbe de boue sur sa carrosserie blanche. Mon chauffeur sortit lestement. Je ne parvins pas à m'extraire du siège. Les pieds dans l'eau, l'avocat ouvrit la portière et me tendit une main que j'agrippais.

Je ne sursautai même pas quand se produisit la détonation. Je vis sans comprendre s'envoler quelques pigeons apeurés. Nous restâmes figés d'interminables secondes martelées par l'écho du tonnerre sec dans nos têtes. L'avocat me lâcha et traversa le potager au pas de course.

– Restez ici ! Je reviens…

Je m'appuyai sur l'aile de la voiture. Mon estomac m'emplit la bouche. Je vomis dans l'eau boueuse.

La guerre n'est pas finie… Le Kleindorp tournait comme une toupie emportée par le vol de ces oiseaux effrayés. *La guerre n'est pas finie…*

Puis, les pigeons se posèrent. La campagne retrouva sa quiétude. Il ne s'était rien passé. Rien... Je parvins à retrouver ma respiration. *Vous pouvez le faire...* Avec l'énergie du désespoir, je me redressai et rejoignis l'avocat à l'intérieur de la maison.

Une odeur piquante de poudre me sauta aux narines. Maître Declerck était immobile. Le contour potelé de son long manteau me masquait la fenêtre. Derrière lui, je distinguai les roues de la voiture d'infirme. Je n'osai m'approcher. Je fixai stupidement le bas maculé de boue du pantalon de l'avocat. Je voulus crier, mais ce fut un chuchotis qui sortit de ma gorge :

– Jean !

L'homme de loi se retourna vers moi, hagard. Il retira ses lunettes embuées et je lus dans son regard dilaté la terrible réalité.

Le visage de Jean était tourné vers le plafond. Ses cheveux gouttaient d'un liquide sombre et épais. Un pistolet oscillait encore au bout de son bras inerte.

Je vomis encore un peu de bile mais je ne m'évanouis pas : la colère sourde qui me montait du ventre me maintenait debout. Je détournai les yeux du cadavre de mon ami et, sans m'occuper de l'avocat prostré, j'examinai la pièce. Le désordre était indescriptible : un capharnaüm de bouteilles, de livres ouverts, de vaisselle sale.

Sur la table, un gros ouvrage était ouvert, ses pages découpées dessinaient l'emplacement d'une arme de poing grossière. Je le refermai d'un coup sec : c'était *L'Éthique*... La réponse au mal est-elle dans les livres ? La rage augmentait. Autour de la bibliothèque, quatre ou cinq ouvrages traînaient. Je les pris d'une main tremblante : Nietzsche, Rousseau, Kant... pages déchirées, découpées par un couteau malhabile. Tous évidés d'un vague rectangle... Tous garnis d'une boîte de balles 9 mm allemandes… Je les laissai tomber. Les balles roulèrent sur le carrelage.

Nous n'avions toujours pas prononcé un seul mot. Le visage livide, maître Declercq chancela et s'effondra sur une vilaine chaise empaillée. Je retins les insultes qui me montaient à la gorge.

Je ramassai quelques papiers épars autour du cadavre et me mis à en déchiffrer l'écriture confuse, illisible par endroits.

Hervé,

C'est moi qui ai tué la Richarde. J'aurais …. Albert si j'en avais eu le temps.

Collaborateurs,… Je ne sais pas,… innocents ? Personne…. Les légions de…. Qui font leurs petites affaires….. planète embrasée….. cinquante millions de morts…

Déjà puni…

Jean.

Je la relus à plusieurs reprises, tentant de comprendre les pénibles griffonnages. Puis, résistant à l'envie de mettre en boule l'infâme bout de cahier, je continuai le funeste décryptage. La deuxième page m'était destinée. L'écriture était à peine plus posée ; le style, un peu plus lucide.

Monsieur Georges,

Quand vous trouverez cette …, je serai là où les Allemands ont voulu me …. Convaincu de devoir consacrer à la vengeance ce sursis accordé par la …, j'ai continué à…

J'ai un problème de probabilités à vous ….Je ne suis pas … pour les mathématiques.

Si une balle a une chance sur mille de toucher sa ..., quelle chance a-t-on de l'...... en vidant son chargeur matin et soir pendant un an ? Un sacré problème de math, hein, m'sieur Georges ?

Vous trouverez la .... vous qui m'avez annoncé que j'avais réussi...

Après Marcelle .... Albert... c'est la deuxième .... du problème...

Pardon... si j'ai ..... une erreur. Pardon aussi à vous. Après Albert, je me serai dénoncé...

Jean

Lentement, la réalité pénétrait mon cerveau fiévreux. Je me tournai vers l'avocat :

– Vous saviez, n'est-ce pas ? Vous saviez et vous n'avez rien fait !

Il ne parut pas m'entendre. Je criai presque :

– Répondez, maître ! Vous saviez comment Jean a tué la Richarde...

Maître Declerck bredouilla enfin :

– Je n'ai fait que mon travail... La balle n'était pas ressortie du crâne ; elle avait été tirée de très loin...

De très loin... L'image des crânes éclatés à bout portant... Le petit trou dans le fichu de la Richarde et je n'avais rien compris.

– Jean tirait tous les jours sur la grange, vous le saviez... articulai-je. Et vous avez fait quoi ? Juste l'informer qu'il se trompait de coupable ?

– Je voulais l'amener à cesser ! protesta l'avocat d'une voix morne.

Je lui tournai le dos. La dernière page du cahier était maculée de gouttes bleuâtres d'encre dissoute. Je lus à voix basse en butant sur l'écriture disloquée de ce troisième message.

Monsieur l'instituteur,

Je refuse … les conclusions de votre dernière lettre. … la vie comme état de malheur radical. ……. votre philosophie ! Vous expliquez le mal intrinsèque par l'éphémère, la fragilité de nos … et de nos existences. Non ! Que faites-vous du mal moral ? Pourquoi pardonnez-vous à ceux qui l'utilisent, qui se moquent de la souffrance des autres pour …r une diversion à leurs … angoisses ? À vous lire, tous les hommes seraient ………….. Mais il y a les perfides, les …….., les sadiques, … ?

Tandis que vous brûliez les livres, je les ……… de munitions.

Adieu, monsieur Georges, ou plutôt à jamais.

Jean.

Nous étions assis à la table encombrée de bouteilles vides de pain liquide, aussi silencieux, aussi décomposés que le pauvre cadavre effondré sur sa chaise.

Les images se succédaient dans mon cerveau en ébullition. Jean à sa fenêtre, combattant infirme, luttant encore, dopé par sa révolte, faisant feu dans la campagne déserte, matin et soir, au petit malheur, sur le porche noir de ses propriétaires. Je revoyais son visage surpris à l'annonce du meurtre. Avait-il cru vraiment en ses chances de la tuer ? Était-ce juste une thérapie à sa haine ? Quelle était la probabilité à cette distance de toucher une cible mouvante et invisible ?

Infime… Un crime presque impossible. Mais renouvelé sans cesse…

Je pensai aussi à Marcelle, serrée dans son fichu, prenant chaque jour rendez-vous avec ses vaches et son destin de femme haïe, leur donnant des ballots de paille farcis de balles perdues. Sa surdité au monde l'avait condamnée.

Je me revis, moi, dans le fossé, ce matin-là, terrorisé par la fusillade ? C'était donc lui !

Je me dressai devant l'avocat prostré en pleurant de rage.

– Qui a dénoncé les FTP ? lui demandai-je brutalement. Vous êtes allé trop loin, maître. Il faut dire la vérité.

Declerck me répondit d'une voix blanche que je ne reconnus pas :

– Je ne comprends pas, bafouilla-t-il. Pourquoi a-t-il fait ça ? Pourquoi à notre arrivée. Qu'ai-je fait ?

– Oui, vous ne comprenez rien, articulai-je. C'était un homme désespéré. Il ne vivait que pour sa vengeance. Il savait que je voudrais le sauver…

Pour la deuxième fois, je lui agrippai le bras.

– Qui a dénoncé les résistants, maître ? répétai-je.

Sa tête eut le mouvement de recul d'un élève attendant la gifle.

– Les Quaeghebeur… souffla-t-il enfin. Tout le monde au village sait qu'Yvonne collaborait.

Je lâchai Declerck et vidai les livres de leurs munitions. Je pris doucement le pistolet de la main de Jean. Un Walter P38 identique à celui qu'il m'avait donné. À ce souvenir, les larmes me brouillèrent la vue.

Je quittai la maison sans un regard.

En traversant le potager, j'entendis la voix méconnaissable de l'avocat : « Monsieur Liévin ! Revenez… Qu'allez-vous faire ? ». Je fourrai l'arme dans ma poche et accélérai le pas.

L'horizon était vide. Au loin, les silhouettes noires de la ferme Richart et de la masure d'Émilienne se dessinaient sur le ciel dégagé par le vent. Des pigeons picoraient sur le chemin. Ils s'envolèrent à mon passage. Comment donner tort à leur peur des hommes ?

Chapitre 2

Je n'avais aucune idée de l'heure mais il me fallait faire vite. Nul doute que Declerck allait donner l'alerte. Le corps tendu, le regard fixé sur le chemin, je m'approchais rapidement du village ; le pistolet battait ma cuisse.

Les tuiles humides brillaient au soleil voilé. Quelques poules picoraient dans le fossé. Des grincements de grilles et des bruits de seaux : le village œuvrait tranquillement. Au loin, un tracteur rebondissait en pétaradant sur les chaos de la route. Le carillon de l'église égraina ses coups douloureux : midi, l'heure du crime…

Dans un recoin de l'église, je sortis le P.38, remplis le chargeur de huit balles rutilantes. La froideur de l'arme suscita de vieilles sensations de puissance : celle conférée par les dieux de la mort qui titille le ventre, siège de toutes les passions.

Je pénétrai chez les Quaeghebeur, jetant une onde d'agitation parmi la basse-cour. Une cane cancana, une oie me tança, le cou tendu et le bec agressif. Au fond de sa niche, le chien borgne grogna sourdement. Dans la pénombre de l'étable, je distinguai les taches claires de quelques cochons.

Laborieusement, je montai les quelques marches de l'habitation et entrai sans frapper.

Elle sursauta. Seule, les bouclettes en bataille, Yvonne se tenait devant sa cuisinière, tournant un ragoût dans une marmite bouillonnant à l'aide d'une longue cuillère de bois. De l'autre main, elle tenait une tranche de *koekebroot*[1].

Les accroche-cœurs n'étaient plus qu'un mauvais souvenir. Sa silhouette obèse semblait remplir la pièce. Nous nous dévisageâmes en silence. Je m'installai à la table de la cuisine encombrée : bocaux de cornichons, jambon amputé aux trois quarts, deux mottes de potchevleesch sur des assiettes décorées de coquelicots, épaisses tranches de pain ovales devant un grand bol fumant de café au lait.

Je respirai profondément. Pourquoi fallait-il toujours que je voie Yvonne manger ? La nausée n'était pas loin.

Son expression étonnée se dissipait déjà et très vite, son visage s'éclaira d'un sourire forcé. Elle s'exclama tout en mâchonnant, la voix habituelle de contralto bien posée, avec ce mélange de convivialité épaisse et de dureté palpable :

– Tiens, m'sieur Georges… C'est rare de vous voir à c't heure, uh ?

– Je suis sorti de prison, déclarai-je d'un ton naturel, comme si cette libération justifiait ma visite.

Elle détourna les yeux et s'assit devant moi sans rien laisser paraître :

– Du café ? Du lait ? Une tartine ? Vous avez déjeuné ?

Une fois revenue de sa surprise, la mairesse tentait de se couler dans son rôle de mère nourricière.

---

1. Pain gâteau.

– Non ! Pas de café aujourd'hui, et je n'ai pas faim... Je viens juste vous tuer.

Pour la première fois de sa vie sans doute, Yvonne ne répliqua rien. Ses pupilles s'agrandirent.

Je sortis le Walther avec précaution. Les yeux de mon interlocutrice s'écarquillèrent davantage, ses joues molles tremblèrent comme la gelée de sa terrine ; sa bouche dessina un O muet et luisant de graisse. Son visage ressembla alors à ces têtes à Toto, visages ronds sans relief dessinés à la craie par les écoliers.

– Mais... m'sieur Georges... Vous... Vous êtes devenu fou ? balbutia-t-elle enfin.

Bien sûr... J'acquiesçai en silence : Yvonne, au village, tout le monde sait que je suis fou.

Chhhhh... Mon premier coup de feu fut pour la marmite émaillée qui mijotait sur la cuisinière. Le bruit de la détonation emplit la pièce en rebondissant sur les faïences des murs. Les échos de la déflagration me résonnèrent aux tympans. Dehors, le chien aboya. Le liquide s'échappa sur la plaque dans un sifflement stridulent de locomotive.

Mieux qu'un long discours... De rouge, le teint d'Yvonne vira au blême. Je la fixai dans les yeux. Il ne fallait pas qu'elle voie ma détermination s'éroder.

– Vous qui en êtes si friande, j'ai une nouvelle : Jean s'est donné la mort. Alors, regardez bien ce pistolet, madame Yvonne, c'est un automatique allemand... Il a déjà tué deux fois. Vous devinez qui est la troisième victime ?

En proie à une furieuse compulsion de mort, me régalant par avance de l'explosion de son visage adipeux, je dirigeai l'arme vers elle. De grandes auréoles s'agrandirent sous ses aisselles comme une motte de beurre suintant dans la poêle.

Le deuxième coup partit, explosant le bol de café, éclaboussant de liquide brun son masque blafard.

Cédant à la sensation de domination du braconnier devant sa proie, je tirai une troisième balle et la motte de potchevleesch s'ouvrit en deux comme un cadavre montre ses viscères. Les morceaux de viande se répandirent doucement sur la couronne de coquelicots.

Mais j'étais la première victime de ma violence et les déflagrations grignotaient mes résolutions. Je joignis les mains pour endiguer le tremblement du pistolet et levai lentement l'arme vers la tête de la matrone.

Je repris après un silence :

– Je sais ce que c'est, madame Yvonne… J'ai déjà eu un pistolet pointé sur le crâne, voyez-vous. J'ai même vu des dizaines de gens mourir ainsi, la cervelle éclatée : la balle traverse la tête et ressort toujours dans une giclée de viscère. Mais, vous savez comme la mort tache : regardez les cochons…

Hypnotisée, Yvonne ne quittait pas le canon des yeux. Ma main blanchissait sur la crosse.

– Presque toujours, car il arrive qu'elle ne gicle pas, rectifiai-je sur le ton de la conversation. Mais quelle importance, nous sommes tous pareils, vous savez… si peu de chose, vous ne croyez pas ?

Yvonne ne répondit pas mais son regard sur notre impermanence était significatif.

– Peu de choses… continuai-je. Finalement, tuer n'est pas si grave. Une simple anticipation, puisque nous ne sommes pas immortels, non ? Ce n'est pas comme ceux qui ont tué Dieu. Le déicide, voilà le vrai crime, uh ?

– Vous… vous êtes fou ! répéta-t-elle.

Son expression était méconnaissable. Encadrant sa figure lippue, ses grosses joues tombaient comme deux ventres flasques sur son cou d'hippopotame. J'acquiesçai :

– Je sais. Vous ne me demandez pas pourquoi c'est fini ?

Le tremblement du pistolet devenait de plus en plus incontrôlable. La main gauche serrait la droite. La grosse femme se liquéfiait devant moi.

– Vous avez perdu votre langue légendaire, madame Yvonne. Elle fonctionnait si bien, pourtant. Dommage que vous ratiez cette dernière occasion de vous expliquer. Il n'y en aura pas d'autres. À moins que vous ne préféreriez me parler en allemand ? Je connais bien la langue, vous savez... Allez-y, je n'ai pas beaucoup de temps.

Je fermai un œil pour mieux ajuster mon tir. Le regard écarquillé, elle commença alors sa confession :

– M'sieur Georges... M'sieur Georges... Qu'est-ce que vous faites ? Ce n'est pas de notre faute, uh : pour les camps, on ne savait pas...

À cet instant, mon arme visait exactement les bouclettes au milieu de son front. Je l'encourageai à terminer sa phrase :

– Vous ne saviez pas quoi ?

– Non. Nous ne savions pas... pour les camps...

Elle commença à larmoyer.

– Nous devions obéir... Nous étions obligés.

Elle se tordait les doigts boudinés où ses bagues disparaissaient dans les replis. Sur le feu, la marmite trouée jetait ses derniers chuintements. Elle hoqueta :

– Les Allemands avaient exigé des maires qu'ils leur fournissent les noms des sympathisants communistes. Je vous jure, m'sieur Georges, nous ne pouvions pas faire autrement ! On ne savait pas qu'ils vous emmèneraient dans ces camps de travail...

Sa bouche se tordit et ses doubles mentons vibrèrent.

– D'extermination, soufflai-je.

Mon ventre se révolta et mes mains se crispèrent. Le pistolet vibra comme s'il devenait incontrôlable. Les yeux d'Yvonne s'agrandirent encore de terreur, et je ne valais pas beaucoup mieux qu'elle : la nausée m'envahissait la poitrine, ma rage se dégonflait comme une baudruche percée et, dans ce haut-le-cœur, je me retins de vomir sur le carrelage. Mes yeux s'emplirent de larmes.

Je suffoquais dans cette cuisine : le mal était palpable, je le humais, flottant dans l'atmosphère de cette ferme imprégnée de l'odeur douceâtre de viande mijotée. Il fallait en finir vite avant que je ne m'écroule. J'inspirai profondément, décollai mes mains moites de l'arme, puis murmurai :

– Et Jean ? Et Paul ? Et les autres FTP ? Vous étiez obligée de les dénoncer aussi ?

Je baissai légèrement le pistolet vers sa poitrine. Dans un brouillard, je distinguais ses seins énormes en me demandant si la balle traverserait toute cette masse de chair. Puis je relevai le canon. Yvonne crut alors voir la mort se dresser devant elle. Elle tomba à genoux de sa chaise en hoquetant :

– On avait peur... Marcelle nous en avait parlé. On savait que dans les villages où les Allemands prenaient les résistants, ils fusillaient aussi le maire en représailles... Alors, on était obligés...

L'insoutenable spectacle de sa décomposition attisait ma nausée. Tous ces gens obligés, l'indécence de ces pleurnichements qui s'apitoient... *On avait peur*, la pire des excuses... La peur qui fait marcher ces foules de pleutres au pas de l'oie.

Je reposai l'arme :

– J'ai envie... J'ai tellement envie de vider le reste de ce chargeur sur vous, madame Yvonne... Tellement envie ! Mais ça ne rendra pas Paul à Augustine, ni ses jambes à Jean, il n'en a plus besoin, le pauvre ! Je suis détruit, et vous tuer ne me rendra pas mes trois ans… Alors, je me contenterai seulement du spectacle de ces terrines qui vous étoufferont !

Je me levai. C'est le temps qui commet le crime parfait : l'implacable écho de nos vengeances… La table était jonchée des morceaux de faïence sale de son déjeuner explosé. Le visage d'Yvonne n'était plus qu'une éponge rosâtre et flasque, marbrée de café et de larmes. Je lui tournai le dos, pressé d'en finir avec l'obscénité de cette énorme piéta à genoux et de ses reniflements écœurants à en devenir assassin.

Un ultime regard sur son visage décomposé et je m'offris quelques dernières bouffées de haine en souvenir de Paul, Jean et tous les autres… Je rangeai le Walther dans ma poche en ajoutant :

– Madame Yvonne… Je vous laisse à votre repas. Je sais que le mal ne guérit pas le mal, mais, commettez encore une seule de vos infamies et vous en trouverez sûrement pour tenir un autre discours que le mien.

À bout de force, je terminai ma diatribe entre les dents :

– Oui, votre mort serait aussi inutile que votre vie ! Vous ne valez pas un seul de vos porcs ! Adieu, madame Yvonne. Je ne vomirai plus jamais dans votre cuisine car je n'y viendrai plus.

Je sortis de la pièce sans me retourner. Le parfum lourd de paille humide de la cour m'écœura. *Le bien, une comparaison ?* Je me demandai avec dégoût si Yvonne allait m'aimer de lui laisser la vie sauve. Cette seule idée me donna l'envie de courir dans sa cuisine pour lui exploser la cervelle. Mais toute énergie m'avait abandonné.

Abattu, je quittai la ferme Quaeghebeur à pas lents.

Chapitre 3

Les quelques jours qui suivirent furent mouvementés. La mort violente avait soufflé une fois encore sur Neu-Cappel. Décidément, depuis ces derniers mois, les commères étaient surmenées.

Le lieutenant Secourt réapparut pour réactiver son enquête. Jean fut déclaré coupable d'homicide sur la personne de Marcelle. En même temps, son suicide clôturait l'affaire Richart. La compétence de la justice humaine s'arrête au trépas de ses prévenus. Confiance aux verdicts divins ? Ou pragmatisme de fonctionnaires ? Je ne sais.

Le lieutenant eut le bon goût de ne pas m'interroger. Maître Declerck joua les intermédiaires : je lui rendis le Walther.

Les funérailles de Jean. Le village compassé se rassembla dans l'église toute vibrante de l'harmonium d'Augustine, les hommes d'un côté, les femmes de l'autre, étrange partition face au cercueil de sapin clair. Jean y subit ses dernières épreuves : endurer le sermon mystique d'un curé rempli d'espérances et rejoindre, au fond d'un lotissement souterrain, sa victime honnie, à quelques allées de lui. Je ne pus l'accompagner au cimetière.

Puis, le village retrouva son immobilité, comme une maison en deuil, pleine de remords, de regrets, de toutes ces pensées qui nous martyrisent et que nous dissimulons comme une tumeur douloureuse derrière un sourire incertain. Trois deuils, c'est beaucoup pour une modeste bourgade.

L'abattement avait succédé à ma fureur. Je m'y abandonnais dans la solitude. Je refusai toute visite, en éconduisant Hervé, maître Declerck et tous les autres avec leurs mots inutiles.

Augustine se remettait mal du deuil de Paul. Et Marieke me prodiguait ses services attentifs, légers, sans questions. Créature définitivement inaccessible aux démons de l'Univers, elle entretenait ma petite maison, rangeant, frottant, récurant : besognes simples et salutaires. Assis devant un livre que je ne lisais pas, j'écoutais ses bruits rassurants, je suivais par la pensée ses évolutions discrètes, ses gestes efficaces et précis. Avait-elle conscience de soulager aussi le chaos de mon âme ?

L'été s'installa et, au fil des semaines, sous un ciel plus clément, je parvins à prolonger mes promenades quotidiennes. J'évitais simplement le cimetière et me gardais bien de pousser jusqu'au Kleindorp : mes blessures étaient loin de cicatriser...

Il me fallut du temps avant de rendre visite à Jean. Je me justifiais par une argumentation stérile : que peut signifier pour une dépouille pourrissante une démarche qui rassure seulement les vivants ?

Pourtant, par une belle soirée de juillet, je pris ma décision. Je cueillis dans mon jardin quelques fleurs en bouton : des gaillardes jaunes et orangées et des marguerites. J'emportai la plaque de marbre noir que j'avais acquise quelques semaines auparavant, et sortis.

Le soleil déclinait. L'ombre de l'église enveloppait les tombes. Frontière entre vivants et morts, le mur d'enceinte entourait les allées désertes quadrillant les concessions de sépultures disparates, tombes plates, statues recueillies, monuments funéraires dispendieux, stèles prétentieuses : les défunts aussi ont leur rang.

Jean se trouvait sous une simple dalle de ciment. Quelques bouquets défraîchis, une petite plaque des Compagnons de la Libération où je lus l'épitaphe : Sacrifice, Devoir et Courage… Je couchai timidement mon bouquet à même la tombe sous l'œil du calvaire qui dominait le cimetière. Je me détournai vers le rose du ciel en offrant à mon ami le crépuscule naissant. Je me mis alors à soliloquer tout haut dans la brise vespérale :

« Jean, j'ai une histoire à te raconter… Quand j'étais infirmier au Block 10, comme je te l'ai confié, le docteur Mengele commandait les services médicaux du camp. Il avait une passion pour les jumeaux. Il les collectionnait avec fanatisme. Tu comprends, les cobayes jumeaux évitent les problèmes liés à l'inné : alors, les SS du camp les ramassaient par milliers lors des sélections. »

« Dès que je les ai vues, elles m'ont bouleversé. C'étaient des enfants. Elles avaient seize ans et en paraissaient quatorze : des minois à jouer à la poupée, des corps à sauter à la corde… »

Je m'arrêtai en tentant de ravaler la boule qui me montait à la gorge, puis baissai les yeux sur le ciment. Il fallait poursuivre :

« Chaque jour, au fil des expériences, je les ai vu s'étioler, leurs corps se boursoufler, leurs peaux se flétrir… Même leurs mains vieillissaient à vue d'œil, comme si toutes ces toxines qu'elles absorbaient avaient détraqué leur horloge. »

Il me sembla alors que le vent me soufflait une question.

« Mais que pouvais-je faire d'autre, dis-moi ? Leur donner mon bol de soupe, trouver quelque méchant oreiller pour leur lit de bois, leur faire sauter une expérimentation ou deux en mentant au docteur Clauberg n'importe quoi ? Seulement voilà, moi aussi, je m'affaiblissais... Alors, j'ai eu cette idée insupportable que j'allais mourir avant elles. »

Les larmes jaillirent. Les inscriptions devinrent illisibles.

« C'était devenu une obsession. Alors, par une nuit glaciale, j'ai pénétré au bloc. Je suis entré dans leur cellule. Je les vois encore dans leur robe de coton. Leurs souffles ressemblaient à des râles, leur sommeil, à une agonie... J'ai pris un oreiller et doucement je me suis approché d'elles. J'ai commencé par Nadia qui avait le sommeil le plus léger, puis Sofia, la plus épuisée des deux... »

Désormais, mes mots extirpés me venaient du fond du ventre comme d'un diable ventriloque :

« Il faut que tu saches, Jean... Je les ai tuées... Je les ai étouffées l'une après l'autre... Simplement, pour leur éviter une nouvelle piqûre de phénol, pour ne plus voir les pustules de leur visage, leurs membres se tordre à se casser, ne plus craindre d'entendre leurs sanglots assourdissants. Mais surtout... surtout, pour ne plus avoir à répondre à leur regard... Oh, elles se sont à peine débattues. Pourtant j'ai appuyé, appuyé, longtemps, une éternité... J'ai appuyé en trouvant une énergie oubliée. J'ai appuyé sans cesser de les consoler chacune de mots incohérents, comme on achève un petit animal blessé, en répétant sans cesse : *tu ne souffriras plus, tu ne souffriras plus*... Puis, j'ai dû m'évanouir... »

J'entendis un bruit dans le cimetière, sentis un parfum de fleurs fraîches. Je baissai la voix sans me retourner :

« Trois semaines plus tard, les troupes russes libéraient le camp. J'avais survécu… Je suis revenu. Elles sont restées là-bas… »

La pénombre gagnait. Les quelques stratus s'étaient colorés de mauve. Mes jambes ne me portaient plus. Je m'accroupis sur le gravier.

« Jean, nous sommes tous des assassins et celui qui se dit innocent vit juste dans le monde de son indifférence. Cinquante millions de morts… et il ne reste que les coupables. »

Je tournai la tête en direction d'un bruit métallique. Au côté d'Augustine, Marieke s'activait sur la tombe de Paul. Je fus saisi du désir de la rejoindre. Je me redressai et reculai d'un pas en silence.

Ma révolte se dissolvait, flottant dans les cieux vides, mélange d'amour douloureux et de compassion intense, prodiguant même un peu de pitié à ces bourreaux inaccessibles à l'éphémère pour avoir tourné le dos au seul sens de la vie qui subsiste encore sur les gravats des idéologies : le présent si fragile qu'il en devient presque beau, juste par comparaison.

« Ah, Jean ! Si seulement… si seulement je pouvais croire un instant que ces petites sœurs tragiques aient trouvé un endroit où calmer cette horreur vibrante… Mais, non, je ne suis pas fou, il n'y a bien dans le ciel enluminé que du vide… »

« Mon fils… il n'y a qu'un moyen de terminer notre livre du Mal. Accepte ma conclusion simple : une solution temporaire, bien sûr, mais une réponse obligée : le bien n'est qu'une courte rémission, juste absence, comptée… Comme le bonheur de Schopenhauer : une simple absence de malheur. Alors, acceptons-le. »

L'obscurité s'épaississait. Le glas de tout espoir me libérait, et, au lieu de m'écraser, la nuit naissante se dilatait, élevant mon esprit comme un aérostat au-dessus du champ de toutes ces batailles qui en perdraient leur fureur. Les cris se sont évanouis, les râles se sont estompés, les couinements ont cessé, les aboiements se sont tus... les interrogations de deux jeunes filles anéanties se diluaient dans le temps et l'espace, trouvant la seule réponse dans l'oubli de leur question... L'oubli, oui, seule prescription possible aux crimes contre la vie qui porte en elle sa condamnation. L'oubli pour le pardon...

Vous pouvez le faire... Pouvais-je vraiment me pardonner ?

Je sortis la plaque noire de ma poche et la posais doucement, bien droite, sur la vilaine chape.

Les lettres d'or brillèrent aux derniers feux du couchant.

L'eau ne stagne pas sur les monts,
ni la vengeance sur un grand cœur.

« Pour une fois, Jean, j'ai le dernier mot... »

Je m'éloignai de la tombe, presque serein ; la complainte du partisan dispersait ses refrains à l'ombre des crucifix :

C'est nous qui brisons les barreaux des prisons pour nos frères...

« Adieu, mon fils. »

Quand je rejoignis Augustine et Marieke, elles me sourirent du regard. Sans nous retourner, accrochés les uns aux autres comme des naufragés, nous quittâmes le cimetière pour le village tranquille.

Au nord, un chien aboyait.

À l'ouest, les dernières lueurs du jour mouraient.

À l'est, les étoiles s'allumaient une à une dans la nuit transparente, lumières falotes et incertaines comme l'amour et l'amitié, parsemant le firmament noir au-dessus de cette planète tourmentée.

FIN

Chez le même éditeur

Collection polars en région

1. *Saint-Étienne Santiago*, de Jean-Louis Nogaro
2. *Rouge Beaujolais*, de Jean Périlhon
3. *Le gourou des Terres Froides*, de Nicole Provence
4. *La disparue des Baronnies*, de Viviane Veneault

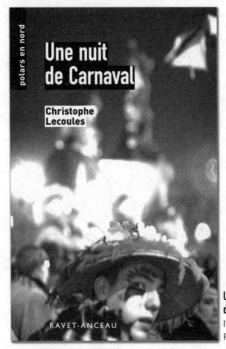

Dans la même collection

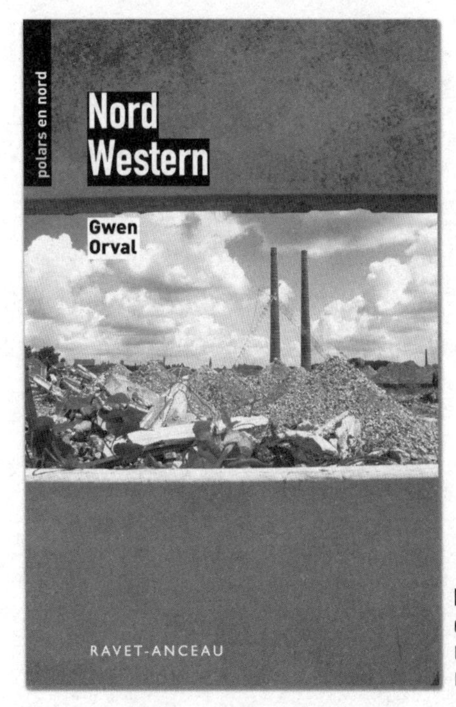

Nord Western,
de Gwen Orval
ISBN 978-2-914657-34-1
Prix : 12 €

Lille a bien changé depuis quatre ans, depuis que le héros de Nord Western est parti faire la guerre en Bosnie. Personne n'attend après lui, son ami Jean a disparu, le café de sa jeunesse a été vendu… Quand on lui propose une grosse somme d'argent pour retrouver une adolescente disparue, il entrevoit le moyen de repartir à zéro.

RAVET-ANCEAU

Dans la collection Polars en Nord

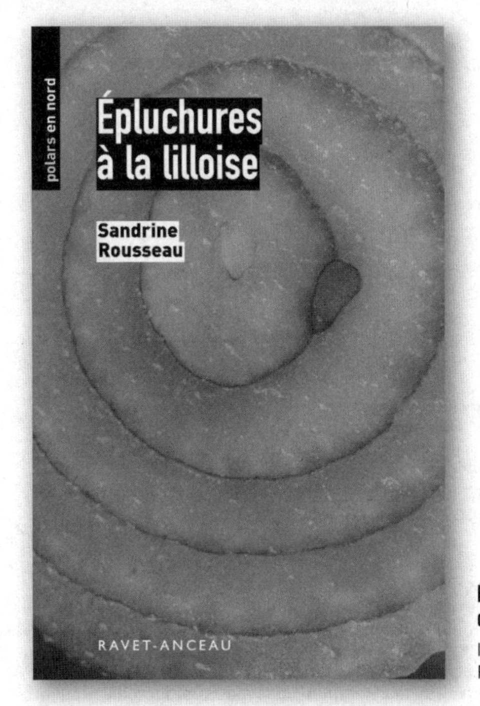

Épluchures à la lilloise, de Sandrine Rousseau

ISBN 978-2-914657-33-4
Prix : 12 €

Jean Penan est un mystère. Flic génial ou incompétent ? les avis divergent. Quand on lui confie le dossier de la mort de Sébastien Fromentin, poignardé et épluché, ses collègues sont consternés. Penan se lance dans une enquête surréaliste où ses déductions saugrenues laissent perplexe. Va-t-il retrouver l'assassin ? Rien n'est moins sûr.

RAVET-ANCEAU

Éditions Ravet-Anceau
5, rue de Fives
BP 90019
59651 Villeneuve-d'Ascq cedex
Tél. : 03.20.41.40.70
Fax : 03.20.41.40.75
www.ravet-anceau.fr

Composition : Nord Compo, Villeneuve-d'Ascq (59)
Impression : SEPEC, Péronnas (01)
Achevé d'imprimer en janvier 2008
Dépôt légal : janvier 2008
ISBN : 978-2-914657-46-4
EAN : 9782914657464
ISSN : 1951-5782

Ravet-Anceau, éditeur depuis 1853, est membre de l'Association des Éditeurs du Nord et du Pas-de-Calais.